www.pearsonschools.co.uk

✓ Free online support
✓ Useful weblinks
✓ 24 hour online ordering

0845 630 33 33

Clive Bell and Anneli McLachlan

Heinemann is an imprint of Pearson Education Limited, a company incorporated in England and Wales, having its registered office at Edinburgh Gate, Harlow, Essex, CM20 2JE. Registered company number: 872828

www.pearsonschoolsandfecolleges.co.uk

Edited by Melanie Birdsall
Designed by Emily Hunter-Higgins
Typeset by Kamae Design
Original illustrations © Pearson Education Limited 2011
Illustrated by KJA Artists (Caron) and Paul Hunter-Higgins
Cover design by Emily Hunter-Higgins
Picture research by Rebecca Sodergren
Front cover and audio CD cover photos © Corbis: Terra; Getty Images: Photographer's choice; Pearson Education Ltd / Sophie Bluy; Shutterstock: Andrey Khrolenok, Alexander Mul, Gualtiero Boffi, M.M.G.

Audio recorded by Footstep Productions Ltd (Colette Thomson and Andy Garratt; voice artists: Arthur Boulanger, Lisa Bourgeois, Felix Callens, Juliet Dante, Kathinka Lahaut, Mathew Robathan, Tunga-Jerome Sen, Charlotte Six). Songs composed and produced by *www.tomdickanddebbie.co.uk* (singers: Framboise Gommendy, Christian Marsac, Mathew Robathan, Melody Sanderson).

First published 2011

19
15

British Library Cataloguing in Publication Data
A catalogue record for this book is available from the British Library.

ISBN 978 0 435 02697 4

Printed and bound in Great Britain by Bell and Bain Ltd, Glasgow

Acknowledgements
The authors and publisher would like to thank the following people for their invaluable help in the development and trialling of this course: Melanie Birdsall; Florence Bonneau; Karima Boualia; Anne French; Stuart Glover and pupils at Beaufort Community School in Gloucester; Rosie Green and pupils at Highcrest Community School in High Wycombe; Michel Groulard; Alex Harvey; Theodore Harvey; Howard Horsfall and pupils at Dronfield Henry Fanshawe School in Dronfield; Servane Jacob; Helen Ryder; Oumou Sow; Fabienne Tartarin; Sabine Tartarin and Catriona Watson-Brown.

The authors and publisher would like to thank the following individuals and organisations for permission to reproduce copyright material in this book:

Les Éditions Albert René / Goscinny-Uderzo p.6; Révélation, French translation: Stephenie Meyer © Hachette Livre 2008, Cover: Conception graphique: Gail Doobinin, Cover photography: Roger Hagadone p.6; planetoscope www.planetoscope.com pp.6, 7; TF1 p.7; France 2 p.7; France 3 p.7; M6 p.7; Arte p.7; Canal + p.7; Relaxnews p.7; Moi, Félix 10 ans sans-papiers / Milan Poche / Marc Cantin © 2007 Éditions Milan p.20; www.catacombes.paris.fr p.33; France5 2009, Nadia Garadji p.89; M6 Web pp.102, 103.

The authors and publisher would like to thank the following individuals and organisations for permission to reproduce photographs:

(Key: b-bottom; c-centre; l-left; r-right; t-top)

Alamy Images: Alex Segre 67t, Andia 60r, 81l, Catchlight Visual Services 125, David R. Frazier Photolibrary, Inc. 40 (a), dbimages 80l, Eitan Simanor 80r, imagebroker 30 (a), Interfoto 110l, JTB Photo Communications, Inc. 34 (e), Justin Kase z11z 34 (f), Keith Erskine 66c, Keith Morris 88tr, Kuttig - People 121c, Larry Lilac 126t, Leonid Nyshko 54 (h), Mike Dobel 28 (h), Norma Joseph 66cr, Paris Street 30 (b), Paul Chauncey 121, Picture Partners 50 (e), Pixoi Ltd 17r, Red Cover 70 (f), 70 (h), Robert Harding Picture Library Ltd 68r, The Art Gallery Collection 110b; **Bridgeman Art Library Ltd:** Mona Lisa, c.1503-6 (oil on panel) by Vinci, Leonardo da (1452-1519) Louvre, Paris, France / Giraudon 27t, 30 (d), The Taking of the Bastille, 14th July 1789 (oil on canvas), Houel, Jean-Pierre (1735-1813) Musee de la Ville de Paris, Musee Carnavalet, Paris, France 116; **Corbis:** Bertrand Langlois 27l, 40 (d), Bongarts 47cr, Bruce Laurance 121b, Christophe Boisvieux 61, Randy Faris 50 (c), Robert Harding World Imagery 39; **Getty Images:** AFP 47cl, 60l, 76r, 88bl, Astrid Stawiarz 8 (f), Digital Vision 34 (b), Dominique Charriau 103b, Iconica 30 (c), Michael Loccisano 52c, National Geographic / David Evans 113l, Pascal Guyot 8 (a), Pascal Le Segretain 89tl, Pascal Pavani 34 (g), Photodisc 26b, 28 (a), 28 (e), 57c, Vittorio Zunino Celotto 7tl, Yoshikazu Tsuno 26r; **iStockphoto:** Aldo Murillo 17t, 50 (b), Benoit Faure 68bc, Boris Katsman 66b, 73/9, Brian Pamphilon 53, Carlos Santa Maria 89br, Dan Barnes 89c, Dreamworks Llc 20l, druvo 9b, Ed O'Neil 73/2, Eileen Hart 9bc, Ella Hanochi 73/4, Erics photography 9t, essxboy 33b, Fabio Cecconello 54 (d), Gert Very 88c, James McQuillan 73/7, Jitalia17 54 (e), Johan Ramberg 111t, John Woodcock 8/1 (i), Jordan Shaw 57cl, Juanmonino 17c, Katherine Matthews 40 (c), Mark Hatfield 89bc, Martin Turzak 73/1, Matt Jeacock 57cr, MicroWorks 26t, Rich Legg 48, Shane Hansen 88cl, Steve Cash 54 (b), Stockphoto4u 123, teewara soontorn 54 (k), Tom Nulens 8/2 (i); **Kobal Collection Ltd:** ABC-TV 8 (e), 20th Century Fox 10 (h), Walt Disney / The Kobal Collection / Vaughan, Stephen 10 (c), Walt Disney Pictures / Walden Media 10 (b); **Pearson Education Ltd:** Calliste Lelliott 115l, Jules Selmes 28 (f), Sophie Bluy 7b, 28 (g), 28t, 29, 47bl, 50 (d), 67c, 68tc, 68l, 70 (a), 70 (b), 70 (c), 70 (d), 70 (e), 70 (g), 72, 74l, 74c, 74r, 74bl, 74br, 90tl, 90tc, 90tr, 90bl, 90bc, 90br, 92, 93/2, 93l, 94, 96/1, 96/3, 96/4, 98/1, 98/2, 98/3, 98/4, 98/5, 98/6, 124, Tudor Photography 115r; **Photolibrary.com:** Denkou Images / Sugar Gold Images 50 (f), Fresh Food Images 73/3, Jaques Loic 34 (c), JTB Photo 76c, Non Stock 89bl, Radius Images 47br, Walter Bibikow 28 (b); **Photoshot Holdings Limited:** MaxPPP 8 (b), PhotoPQR/Ouest France/Philippe Renault 102; **Press Association Images:** Abaca Press 103l, 103cl, 103cr, 103r, BAS CZERWINSKI / AP 47tc; **Reuters:** Benoit Tessier 8 (c), Charles Platiau 47tl, Denis Balibouse 40 (b), Eric Gaillard 67, 76, Gonzalo Fuentes 28 (d), Joe Mitchell 47c, Mal Langsdon 27r, Pascal Rossignol 27c; **Rex Features:** Action Press 52b, Adi Crollalanza 30 (e), 20th Century Fox / Everett 20t, Elma Okic 89tc, Karl Schoendorfer 26l, Nbcu Photobank 118, Nicholas Bailey 43 (d), Norman Scott 52t, Ray Tang 57t, Sipa Press 7tc, 8 (d), 33, 60b, 88br, Theo Kingma 7tr, Universal / Everett 8 (g); **Ronald Grant Archive:** 10 (a), 10 (d), 10 (e), 10 (f), 10 (g); **Shutterstock:** Alexander Kalina 54 (f), 54 (g), Angels at Work 30 (f), Brian Chase 88cr, Darren Baker 8 (h), dgmata 89cr, Elena Elisseeva 50 (a), Fedor Selivanov 66t, fourth of four 73/8, Gautier Willaume 66cl, Gemenacom 54 (a), Grischa Georgiew 34 (h), Ilja Mašík 57b, Lazar Mihai-Bogdan 35r, Mags Ascough 88tl, MarchCattle 34 (a), Mario Savoia 28 (c), Monkey Business Images 126l, Nataliya Hora 81, Noam Armonn 73/5, Paul Cowan 73 (6), Rubens Alarcon 9tc, Sean D 6t, Sean Prior 91, Simone Voigt 60t, Stephen Mcsweeny 54 (i), stocksnapp 54 (c), Suzanne Tucker 91l, SweetHeart 113r, Timmary 111b, Ulrich Willmünder 14, Valentyn Volkov 73/10, vovan 54 (j), WilleeCole 126, WitR 35c; **Thinkstock:** 54 (l); **Wikimedia Commons:** M G Scott 110r, www.imagesource.com35l

Tableau des contenus

Module 1 T'es branché(e)? 6

Unité 1 **La télé** 8
Talking about television programmes
The present tense of *–er* verbs

Unité 2 **J'ai une passion pour le cinéma** 10
Talking about films
The present tense of *avoir* and *être*

Unité 3 **La lecture** 12
Talking about reading
–ir and *–re* verbs

Unité 4 **Que fais-tu quand tu es connecté(e)?** 14
Talking about the internet
aller and *faire*

Unité 5 **Qu'est-ce que tu as fait hier soir?** 16
Talking about what you did yesterday evening
The perfect tense

Bilan et Révisions 18

En plus **À ne pas rater!** 20
Talking about your favourite television programmes, films and books

Studio Grammaire 22

Vocabulaire 24

Module 2 Paris, je t'adore! 26

Unité 1 **Une semaine à Paris** 28
Saying what you did in Paris
The perfect tense of regular verbs

Unité 2 **Mon album photos** 30
Saying when you did things
The perfect tense of irregular verbs

Unité 3 **C'était comment, les catacombes?** 32
Understanding information about a tourist attraction
c' était ... and *j'ai trouvé ça ...*

Unité 4 **24 heures chrono!** 34
Saying where you went and how
The perfect tense with *être*

Unité 5 **Qui a volé la *Joconde*?** 36
Interviewing a suspect
Asking questions in the perfect tense

Bilan et Révisions 38

En plus **Présent ou passé?** 40
Talking about what you do/did in Paris

Studio Grammaire 42

Vocabulaire 44

Module 3 Mon identité 46

Unité 1 **Mon caractère** 48
Talking about personality
Adjectival agreement
Unité 2 **On se dit tout** 50
Talking about relationships
Reflexive verbs
Unité 3 **Quelle musique écoutes-tu?** 52
Talking about music
Agreeing, disagreeing and giving reasons
Unité 4 **Mon style** 54
Talking about clothes
The near future tense
Unité 5 **De quoi es-tu fan?** 56
Talking about your passion
Past, present and future tenses
Bilan et Révisions 58
En plus **L'identité régionale** 60
Talking about different regions
Studio Grammaire 62
Vocabulaire 64

Module 4 Chez moi, chez toi 66

Unité 1 **Là où j'habite** 68
Describing where you live
Comparative adjectives
Unité 2 **Dans mon appart'** 70
Describing your home
Prepositions
Unité 3 **À table, tout le monde!** 72
Talking about meals
boire and *prendre*
Unité 4 **Il faut faire des crêpes!** 74
Discussing what food to buy
il faut
Unité 5 **On est allés au carnaval!** 76
Talking about an event
Using three tenses
Bilan et Révisions 78
En plus **Mon chez moi** 80
Talking about where you live
Studio Grammaire 1 82
Studio Grammaire 2 84
Vocabulaire 86

Module 5 Quel talent?! 88

Unité 1 **La France a du talent!** 90
Talking about talent and ambition
Infinitives and the verb *vouloir*

Unité 2 **Je dois gagner!** 92
Encouraging or persuading someone
pouvoir and *devoir*

Unité 3 **Ne fais pas ça!** 94
Rehearsing for the contest
The imperative

Unité 4 **C'est qui le meilleur?** 96
Saying who is the best, the most, the least
Superlative adjectives

Unité 5 **Et le gagnant est ...** 98
Showing how much you can do with the French language
Using a variety of structures and tenses

Bilan et Révisions 100

En plus **Tout sur *Nouvelle Star*** 102
Learning about *Nouvelle Star*

Studio Grammaire 1 104

Studio Grammaire 2 106

Vocabulaire 108

Module 6 Studio découverte 110

Unité 1 **Le monde et les pays francophones** 112
World geography and French-speaking countries

Unité 2 **Les sciences** 114
How to plant a garden!

Unité 3 **La Révolution française** 116
The French Revolution

À toi 118

Verb tables 128

Stratégies 130

Mini-dictionnaire 131

Instructions 144

If you spend 2 hours 30 minutes per day playing video games, like the average young person in France, you will be spending 35 whole days per year on your hobby. More than a whole month!

Astérix is over 50 years old and still France's favourite cartoon character! The *BD* (*bande dessinée*) is a huge phenomenon in France. Old and young people read these comic books and there are shops and museums devoted to them. What's your favourite comic book?

Eight new books are published every hour in France. The average French person spends 38 minutes a day reading a book. Young French-speaking people devour the *Twilight* series and the *Harry Potter* books just like you! How many minutes do you spend reading each day?

Two of these French actors have appeared in James Bond films. Do you know who they are? Can you name any other French actors?

How many computers do you have in your house? 82% of young French people between the ages of 12 and 14 own a computer and access the internet every day. Do you think the figures are higher or lower in Britain?

There are six main television channels in France. Young people also watch digital, cable and satellite TV. American soaps are as popular in France as they are in the UK. Can you work out which programmes these are?

FBI: Portés disparus

Des Jours et des Vies

Les Experts: Miami

32% of French people listen to the radio in the bathroom so they can sing along!

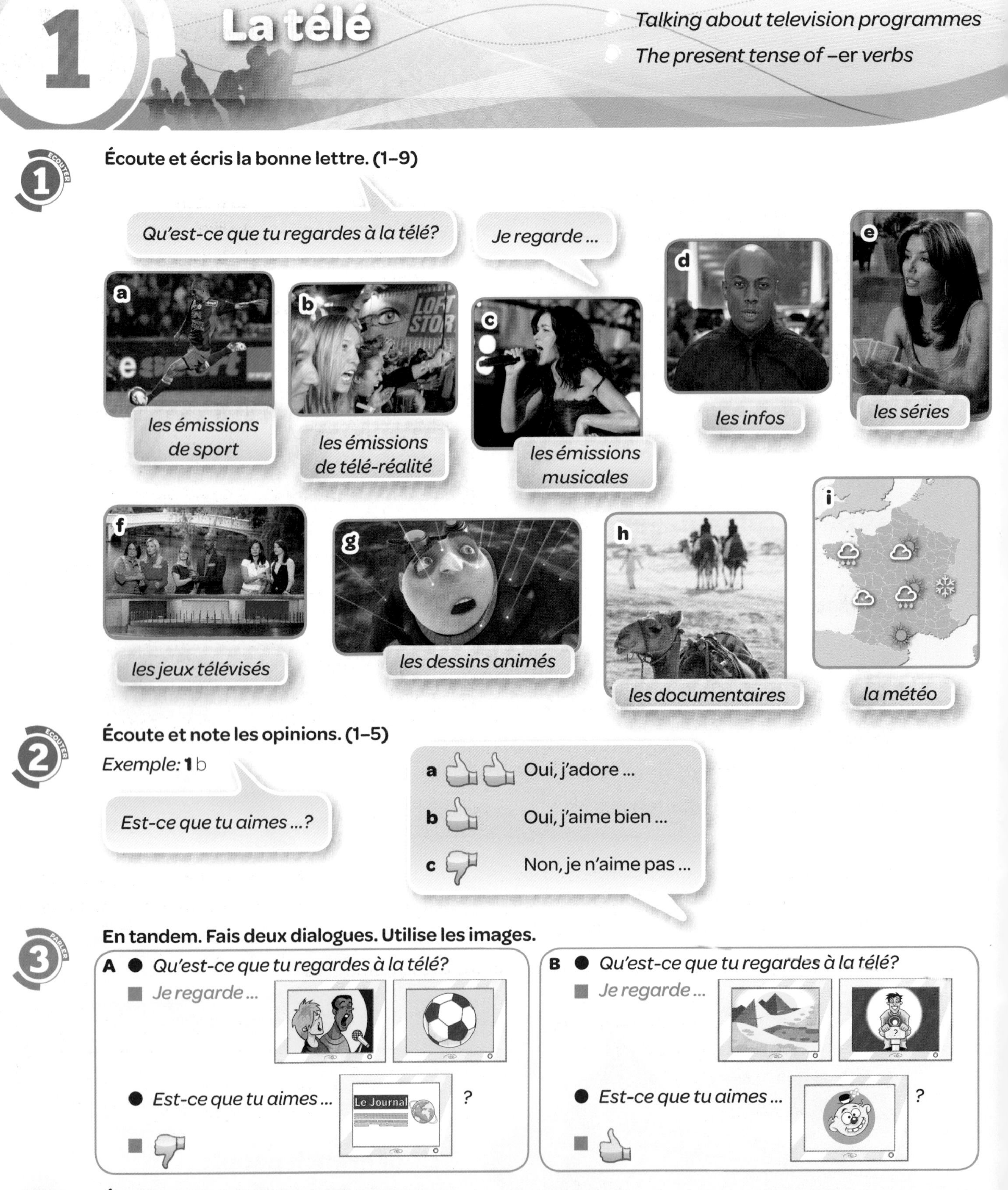

1 La télé

- Talking about television programmes
- The present tense of –er verbs

1 Écoute et écris la bonne lettre. (1–9)

Qu'est-ce que tu regardes à la télé?

Je regarde ...

- **a** *les émissions de sport*
- **b** *les émissions de télé-réalité*
- **c** *les émissions musicales*
- **d** *les infos*
- **e** *les séries*
- **f** *les jeux télévisés*
- **g** *les dessins animés*
- **h** *les documentaires*
- **i** *la météo*

2 Écoute et note les opinions. (1–5)

Exemple: **1** b

Est-ce que tu aimes ...?

- **a** Oui, j'adore ...
- **b** Oui, j'aime bien ...
- **c** Non, je n'aime pas ...

3 En tandem. Fais deux dialogues. Utilise les images.

A
- ● *Qu'est-ce que tu regardes à la télé?*
- ■ *Je regarde ...*
- ● *Est-ce que tu aimes ...* ?
- ■

B
- ● *Qu'est-ce que tu regardes à la télé?*
- ■ *Je regarde ...*
- ● *Est-ce que tu aimes ...* ?
- ■

4 Écoute et choisis la bonne réponse.

1. Sami n'aime pas/regarde les émissions de sport.
2. Il aime bien/n'aime pas les documentaires.
3. Il ne regarde jamais/adore les émissions de télé-réalité.
4. Son émission préférée, c'est les infos/une série américaine.

Lis et réponds aux questions.

Pauline
J'aime bien les séries américaines, comme *Docteur House,* et j'adore aussi les séries policières. Mais je n'aime pas les émissions de télé-réalité, comme *Nouvelle Star* et je ne regarde jamais la météo parce que c'est ennuyeux.

Ryan
Moi, je regarde les documentaires à la télé parce que c'est intéressant et j'aime bien les infos, mais je ne regarde jamais les jeux télévisés, comme *Qui veut gagner des millions?*

Océane
Moi, j'adore les émissions de télé-réalité. Mon émission préférée, c'est *Koh-Lanta*. Ça passe sur TF1 tous les mercredis à huit heures. C'est génial. J'aime bien les dessins animés, mais je ne regarde jamais les émissions de sport.

Thibaud
Je regarde les émissions de sport parce que le sport, c'est ma passion. Je ne rate jamais *Eurosport*. J'aime bien les émissions musicales et j'adore les jeux télévisés, mais je ne regarde jamais les documentaires.

comme *like*

Who ...

1 loves reality TV?
2 loves crime series?
3 likes the news?
4 likes cartoons?
5 never watches the weather?
6 watches sports programmes?
7 never watches game shows?
8 never watches documentaries?

Studio Grammaire

Page 22

Many verbs have an **infinitive** which ends in **-er**.

*regard**er***	to watch
*aim**er***	to like
*ador**er***	to love
*rat**er***	to miss

-er verb endings change according to the subject pronouns.

*je regard**e***	I watch
*tu regard**es***	you watch (informal)
*il/elle/on regard**e***	he/she watches/we watch
*nous regard**ons***	we watch
*vous regard**ez***	you watch (formal/plural)
*ils/elles regard**ent***	they watch

Studio Grammaire

Page 23

ne ... pas = not
ne ... jamais = never
Both make a sandwich around the verb.

*je **n'**aime **pas***	I don't like
*je **ne** regarde **jamais***	I never watch
*je **ne** rate **jamais***	I never miss

6 Fais un sondage dans la classe. Pose ces questions à cinq personnes.

1 Qu'est-ce que tu regardes à la télé?
2 Qu'est-ce que tu ne regardes jamais?
3 Quelle est ton émission préférée?
4 Est-ce que tu aimes ... ?

	1	2	3	4
Sophie	*les séries américaines*			

7 Décris tes préférences.

Je regarde ... Je ne rate jamais ...
... et j'aime bien aussi ...
mais je n'aime pas ... et je ne regarde jamais ...
Mon émission préférée, c'est ... parce que ...

2 J'ai une passion pour le cinéma

- *Talking about films*
- *The present tense of* avoir *and* être

Écoute et lis. Qu'est-ce qu'ils aiment?

Exemple: **a** Tiki: les films d'arts martiaux, ...

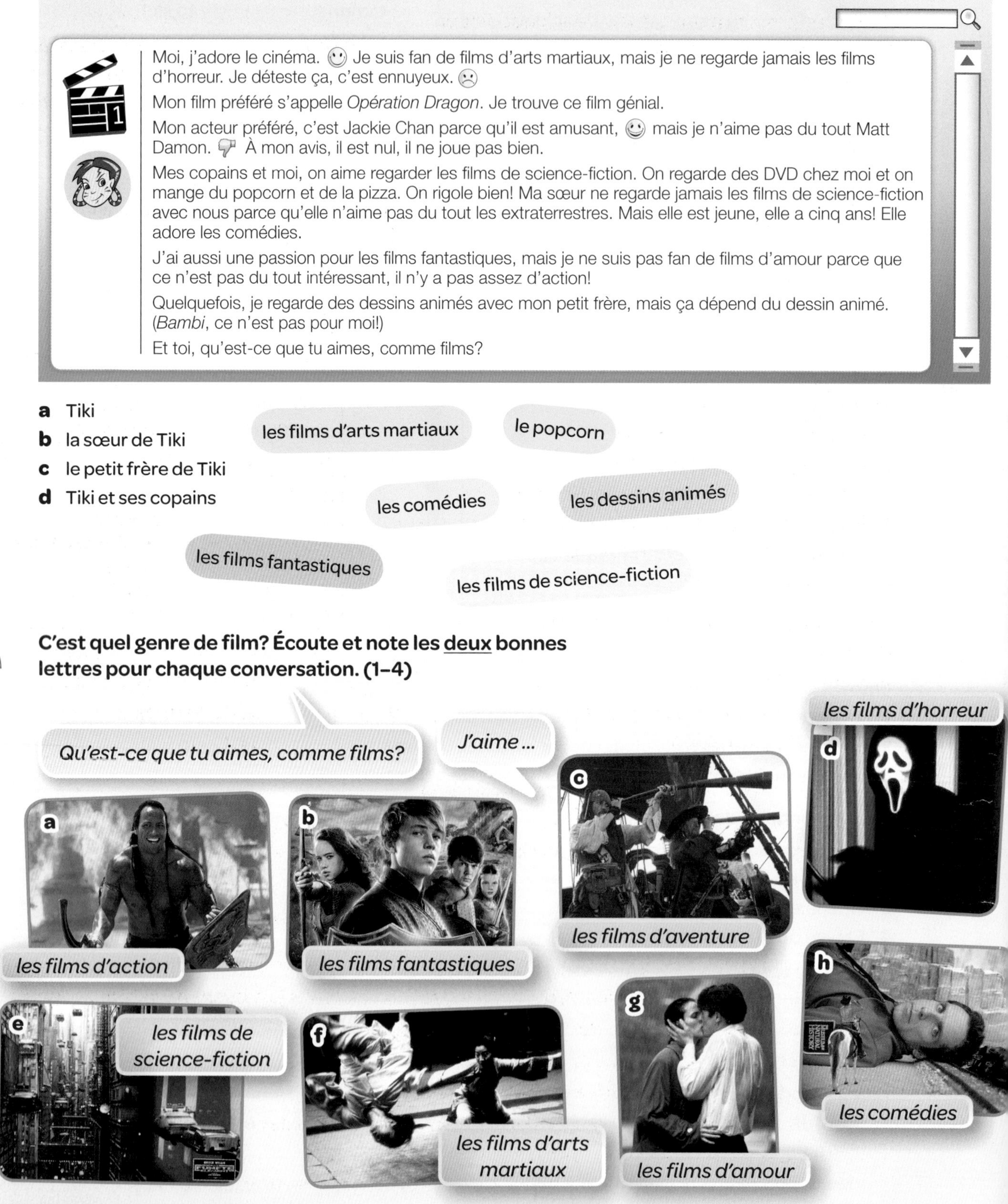

Moi, j'adore le cinéma. Je suis fan de films d'arts martiaux, mais je ne regarde jamais les films d'horreur. Je déteste ça, c'est ennuyeux.

Mon film préféré s'appelle *Opération Dragon*. Je trouve ce film génial.

Mon acteur préféré, c'est Jackie Chan parce qu'il est amusant, mais je n'aime pas du tout Matt Damon. À mon avis, il est nul, il ne joue pas bien.

Mes copains et moi, on aime regarder les films de science-fiction. On regarde des DVD chez moi et on mange du popcorn et de la pizza. On rigole bien! Ma sœur ne regarde jamais les films de science-fiction avec nous parce qu'elle n'aime pas du tout les extraterrestres. Mais elle est jeune, elle a cinq ans! Elle adore les comédies.

J'ai aussi une passion pour les films fantastiques, mais je ne suis pas fan de films d'amour parce que ce n'est pas du tout intéressant, il n'y a pas assez d'action!

Quelquefois, je regarde des dessins animés avec mon petit frère, mais ça dépend du dessin animé. (*Bambi*, ce n'est pas pour moi!)

Et toi, qu'est-ce que tu aimes, comme films?

a Tiki
b la sœur de Tiki
c le petit frère de Tiki
d Tiki et ses copains

les films d'arts martiaux · le popcorn · les comédies · les dessins animés · les films fantastiques · les films de science-fiction

C'est quel genre de film? Écoute et note les <u>deux</u> bonnes lettres pour chaque conversation. (1–4)

Qu'est-ce que tu aimes, comme films?

J'aime ...

a *les films d'action*
b *les films fantastiques*
c *les films d'aventure*
d *les films d'horreur*
e *les films de science-fiction*
f *les films d'arts martiaux*
g *les films d'amour*
h *les comédies*

En tandem. Lis les phrases à voix haute. Ensuite, donne ton opinion.

1 J'adore les films d'arts martiaux.
2 Je déteste les films d'horreur.
3 Je suis fan de films d'amour.
4 J'ai une passion pour les films de science-fiction.
5 Je ne suis pas fan de films fantastiques.
6 J'ai horreur des comédies.

Je suis d'accord. Moi, ...	*Je ne suis pas d'accord. Moi, ...*
j'adore les ...	*je déteste les ...*
je suis fan de ...	*je ne suis pas fan de ...*
j'ai une passion pour les ...	*j'ai horreur des ...*

Make sure you move your mouth and make each syllable count when you are speaking. In French, all syllables are stressed equally:
fan-tas-tiques
co-mé-dies
a-ven-ture

Écoute. Damien parle de ses films préférés. Note vrai (V) ou faux (F).

1 Damien adore les films d'action.
2 Damien est fan de comédies.
3 Damien a horreur des films de science-fiction.
4 Damien a une passion pour les films d'arts martiaux.
5 Damien est fan de films d'aventure.
6 Damien a horreur des films d'amour.

Studio Grammaire

Page 22

Learn these two important verbs by heart.

avoir (to have)	
j'ai	I have
tu as	you have
il/elle/on a	he/she has/we have
nous avons	we have
vous avez	you have
ils/elles ont	they have
être **(to be)**	
je suis	I am
tu es	you are
il/elle/on est	he/she is/we are
nous sommes	we are
vous êtes	you are
ils/elles sont	they are

Classe les genres de films de l'exercice 2 selon tes préférences.

1 J'adore les ...
2 J'ai une passion pour les ...
3 Je suis fan de ...
4 Je ne suis pas fan de ...
5 Je déteste les ...
6 J'ai horreur des ...

Prépare un exposé sur tes préférences au cinéma.

- Say what type of films you really like.
- Say what type of films you really don't like.
- Say who your favourite actor is.
- Say what your favourite film is.
- Include reasons.

Use the key language on these pages to help you make your answer as interesting as you can.
- *Be sure to use intensifiers (**assez**, **très**) and connectives (**et**, **aussi**, **mais**, **ou**, **comme**).*
- *Give reasons for your opinions using **parce que** or **car**.*
- *Show that you can use different verb forms.*

***J'aime** les films d'horreur comme **Nuit d'horreur.**
Mon acteur préféré, c'est Will Smith parce qu'il est assez intelligent.
Mes parents n'aiment pas les films d'arts martiaux.

3 La lecture

- Talking about reading
- –ir and –re verbs

1 Trouve la bonne légende pour chaque livre.

Exemple: **1** e

Qu'est-ce que tu lis en ce moment?

Je lis ...

1 2 3 4 5 6 7 8

- **a** *un magazine sur les célébrités*
- **b** *un livre sur les animaux*
- **c** *un livre d'épouvante*
- **d** *un roman fantastique*
- **e** *un roman policier*
- **f** *un roman d'amour*
- **g** *un manga*
- **h** *une BD*

je lis	*I read*
tu lis	*you read*

2 **Écoute et vérifie tes réponses. (1–8)**

3 **Copie et classe les opinions dans le tableau. Regarde la section *Vocabulaire* si nécessaire.**

☺	☹	Meaning
passionnant		

assez bien · nul · amusant · passionnant · ennuyeux · barbant · intéressant · émouvant

4 **Écoute et remplis le tableau. Écris le genre du livre et l'opinion. (1–8)**

	Genre du livre	Opinion
1	livre sur les animaux	intéressant
2		

5 **En tandem. Fais des dialogues.**

- ● *Qu'est-ce que tu lis en ce moment?*
- ■ *Je lis ...*
  À mon avis, c'est .../Je pense que c'est ...

Make sure you use the right article.

	a/some	*the*
m. singular	***un***	***le***
f. singular	***une***	***la***
plural	***des***	***les***

Lis le texte et choisis la bonne réponse.

J'adore lire. La lecture, c'est ma passion.
Normalement, je choisis des romans fantastiques, comme *Fascination*. J'adore ce livre. Je pense que c'est passionnant. Les fans de Stephenie Meyer et moi, nous attendons le nouveau livre avec impatience. Je ne lis jamais de BD, comme *Titeuf*. J'ai horreur de ça. Mais quelquefois, je lis des magazines; il y a un kiosque près de chez moi où ils vendent toutes sortes de magazines.
Chloé

1. Chloé finit/choisit normalement des livres fantastiques.
2. Chloé aime beaucoup lire/a horreur de lire des BD.
3. Chloé et les fans de Stephenie Meyer attendent/vendent son nouveau livre avec impatience.
4. Quelquefois, Chloé lit des magazines/des romans d'amour.
5. Chloé a une passion pour les romans d'amour/les romans fantastiques.

Studio Grammaire

» Page 23

Two important groups of regular verbs end in ***-ir*** and ***-re***.

finir (to finish)	
*je fin**is***	I finish
*tu fin**is***	you finish
*il/elle/on fin**it***	he/she finishes/we finish
*nous fin**issons***	we finish
*vous fin**issez***	you finish
*ils/elles fin**issent***	they finish
vendre **(to sell)**	
*je vend**s***	I sell
*tu vend**s***	you sell
il/elle/on vend	he/she sells/we sell
*nous vend**ons***	we sell
*vous vend**ez***	you sell
*ils/elles vend**ent***	they sell

7 **En tandem. Fais le quiz.**

Sondage: la lecture et toi!

1 Lis-tu souvent?
a Je ne lis jamais.
b Je lis de temps en temps.
c Je lis tous les jours.

2 Combien de livres lis-tu par an?
a Je lis moins de cinq livres par an.
b Je lis plus de cinq livres par an.
c Je lis cinq livres par an.

3 Comment s'appelle ton auteur préféré?
a Mon auteur préféré s'appelle J.K. Rowling.
b Mon auteur préféré s'appelle David Almond.
c Mon auteur préféré s'appelle Jane Austen.

4 Tu es plutôt fan de quel genre de magazine?
a Je suis plutôt fan de magazines sur les jeux vidéo.
b Je suis plutôt fan de magazines sur les célébrités.
c Je suis plutôt fan de magazines sur la nature et les animaux.

5 Qu'est-ce que tu ne lis pas?
a Je ne lis pas de romans.
b Je ne lis pas de blogs.
c Je ne lis pas de mangas.

6 Pourquoi lis-tu?
a Je lis parce que c'est amusant.
b Je lis parce que c'est intéressant.
c Je ne lis jamais. C'est ennuyeux!

*After **pas** use **de**.*
Je ne lis pas de blogs. *I don't read (any) blogs.*

8 **Écris un paragraphe sur tes préférences de lecture.**

Utilise tes réponses au quiz.

Vary your answers to improve your level!

J'aime *+ noun:*	***J'aime les romans.***	*(I like novels.)*
J'aime *+ infinitive:*	***J'aime lire des romans.***	*(I like to read novels.)*
Present tense:	***Je lis des romans.***	*(I read novels.)*

4 Que fais-tu quand tu es connecté(e)?

- *Talking about the internet*
- aller *and* faire

1 ÉCOUTER

Écoute et lis le texte. Termine les phrases en anglais.

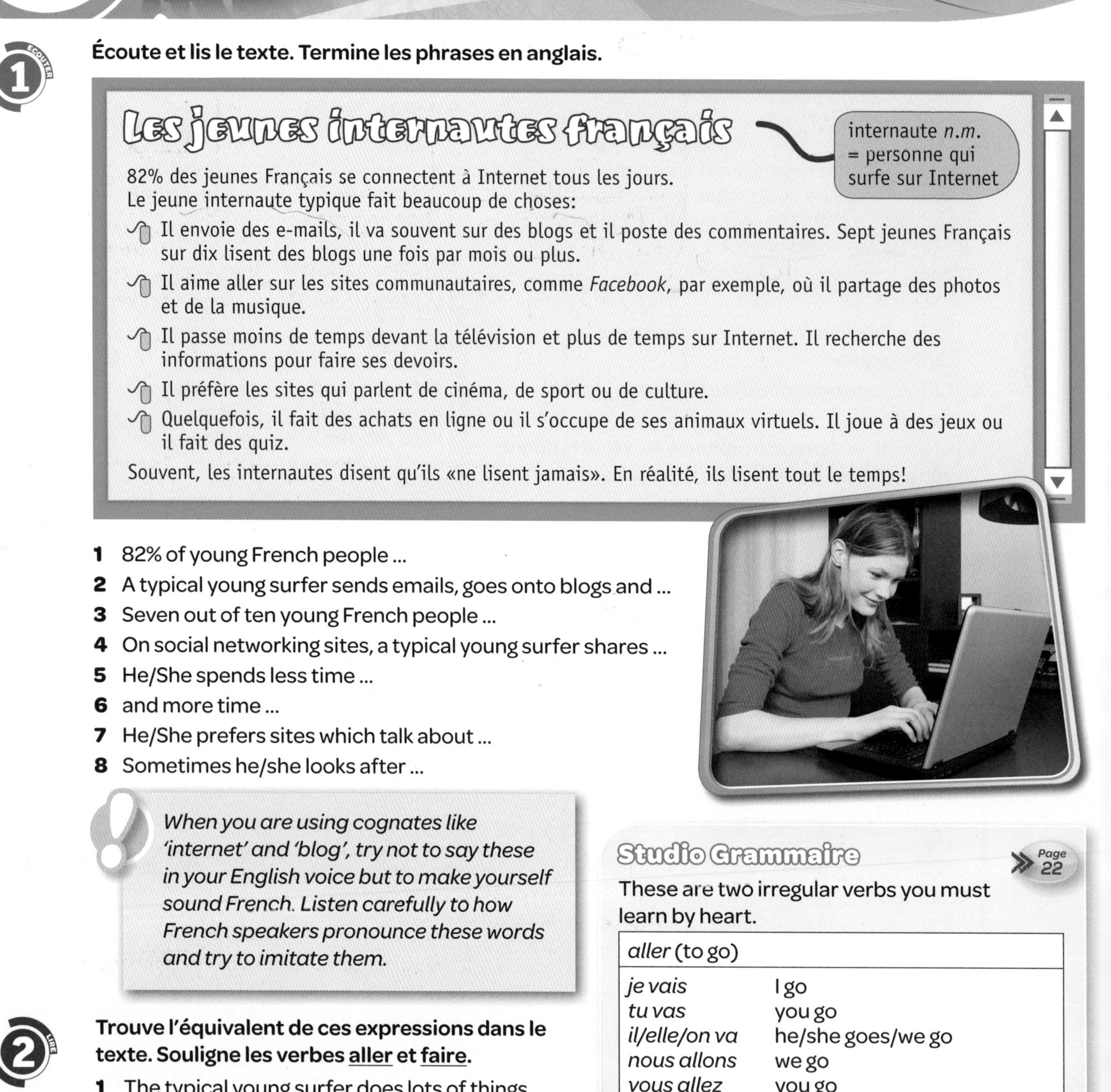

Les jeunes internautes français

internaute *n.m.* = personne qui surfe sur Internet

82% des jeunes Français se connectent à Internet tous les jours.
Le jeune internaute typique fait beaucoup de choses:

- Il envoie des e-mails, il va souvent sur des blogs et il poste des commentaires. Sept jeunes Français sur dix lisent des blogs une fois par mois ou plus.
- Il aime aller sur les sites communautaires, comme *Facebook*, par exemple, où il partage des photos et de la musique.
- Il passe moins de temps devant la télévision et plus de temps sur Internet. Il recherche des informations pour faire ses devoirs.
- Il préfère les sites qui parlent de cinéma, de sport ou de culture.
- Quelquefois, il fait des achats en ligne ou il s'occupe de ses animaux virtuels. Il joue à des jeux ou il fait des quiz.

Souvent, les internautes disent qu'ils «ne lisent jamais». En réalité, ils lisent tout le temps!

1. 82% of young French people ...
2. A typical young surfer sends emails, goes onto blogs and ...
3. Seven out of ten young French people ...
4. On social networking sites, a typical young surfer shares ...
5. He/She spends less time ...
6. and more time ...
7. He/She prefers sites which talk about ...
8. Sometimes he/she looks after ...

When you are using cognates like 'internet' and 'blog', try not to say these in your English voice but to make yourself sound French. Listen carefully to how French speakers pronounce these words and try to imitate them.

2 LIRE

Trouve l'équivalent de ces expressions dans le texte. Souligne les verbes aller et faire.

1. The typical young surfer does lots of things.
2. He often goes onto blogs.
3. He likes to go onto social networking sites.
4. He does research for his homework.
5. Sometimes he buys things online.
6. He plays games or does quizzes.

Studio Grammaire

Page 22

These are two irregular verbs you must learn by heart.

aller (to go)	
je vais	I go
tu vas	you go
il/elle/on va	he/she goes/we go
nous allons	we go
vous allez	you go
ils/elles vont	they go
faire (to do/make)	
je fais	I do/make
tu fais	you do/make
il/elle/on fait	he/she does/makes, we do/make
nous faisons	we do/make
vous faites	you do/make
ils/elles font	they do/make

3 Écoute et écris les bonnes lettres. (1–6)

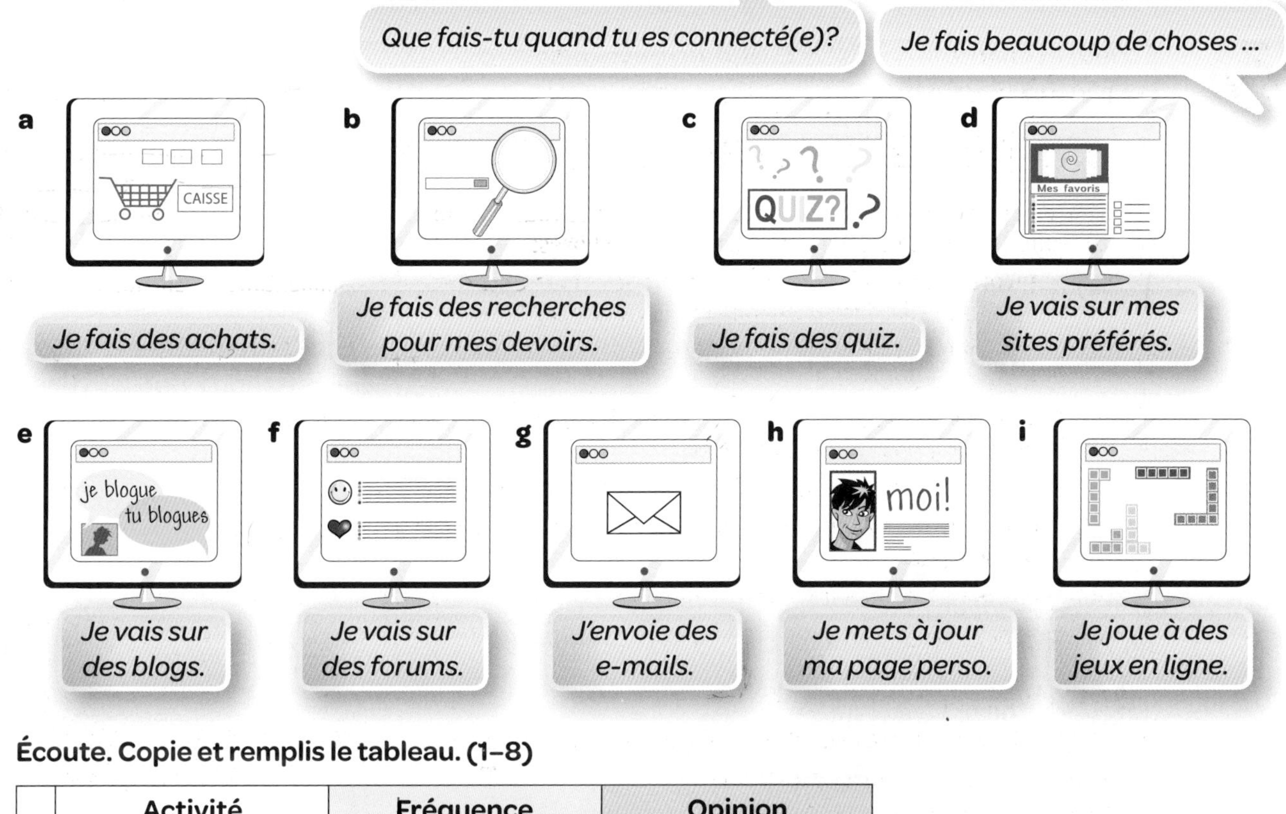

4 Écoute. Copie et remplis le tableau. (1–8)

	Activité	Fréquence	Opinion
1	jeux	tous les soirs	chouette
2			

Fréquence

d'habitude · une fois par semaine · jamais · souvent · tous les soirs · quelquefois

Opinion

génial · intéressant · barbant · ennuyeux · chouette · passionnant · pratique · stupide

5 En tandem. Fais deux dialogues. Utilise les images.

A
● *Que fais-tu quand tu es connecté(e)?*
■ *D'habitude, ...*
Et souvent, ...

B
● *Que fais-tu quand tu es connecté(e)?*
■ *Quelquefois, ...*
Une ou deux fois par mois, ...

6 Es-tu un(e) internaute typique? Écris un paragraphe sur tes habitudes quand tu es connecté(e).

Quand je suis connecté(e), je fais beaucoup de choses.
D'habitude, je ... Je trouve ça ...
Souvent, je ... Quelquefois, je ...
Une ou deux fois par mois, je ...
Je ne ... jamais ... car/parce que je trouve ça ...
Je pense que je suis/je ne suis pas un(e) internaute typique.

5 Qu'est-ce que tu as fait hier soir?

- *Talking about what you did yesterday evening*
- *The perfect tense*

1 ÉCOUTER

Écoute et chante la chanson. Ensuite, trouve dans la chanson l'équivalent des expressions en anglais.

J'ai regardé la télé
Et puis avec ma sœur,
J'ai discuté.

J'ai surfé sur Internet
J'ai joué à des jeux en ligne.
Wouah! Chouette!

J'ai écouté la radio
Et sur ma page perso,
J'ai posté des photos.

J'ai envoyé des SMS,
J'ai regardé la météo
et aussi des clips vidéo.

J'ai tchatté sur MSN,
J'ai téléchargé des chansons,
Des chansons par douzaine.

J'adore faire les choses en ligne,
Mon petit ordi, c'est toute ma vie.
Être connecté, c'est vraiment mon truc préféré!

a	I posted	**d**	I listened	**g**	I chatted
b	I watched	**e**	I surfed	**h**	I downloaded
c	I played	**f**	I sent	**i**	I talked

Studio Grammaire

» Page 42

You use the **perfect tense** to talk about a completed action in the past.

To form the perfect tense, use part of the verb ***avoir*** (to have) + the **past participle**.

To form the past participle of regular ***-er*** verbs, take ***-er*** off the infinitive and replace it with ***-é***.

regarder → j'ai regardé	I watched
jouer → j'ai joué	I played
parler → j'ai parlé	I spoke

2 LIRE

Lis le texte et mets les images dans le bon ordre.

Alors, qu'est-ce que j'ai fait hier soir?
D'abord, j'ai surfé sur Internet et j'ai envoyé des e-mails.
Ensuite, j'ai tchatté sur MSN avec des copains.
Après, j'ai téléchargé de la musique.
Puis j'ai dîné en famille.
Après le dîner, j'ai regardé la télé avec ma sœur.
Avant de me coucher, j'ai joué à des jeux.

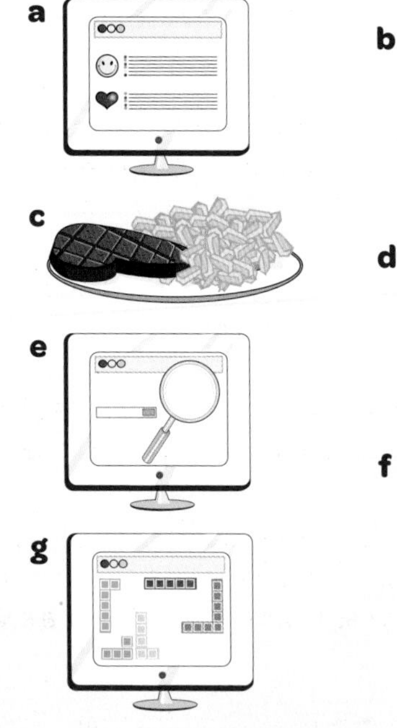

3 ÉCOUTER

Qui parle? Écoute et écris le nom de la personne. (1–3)

4 En tandem. Fais des conversations.

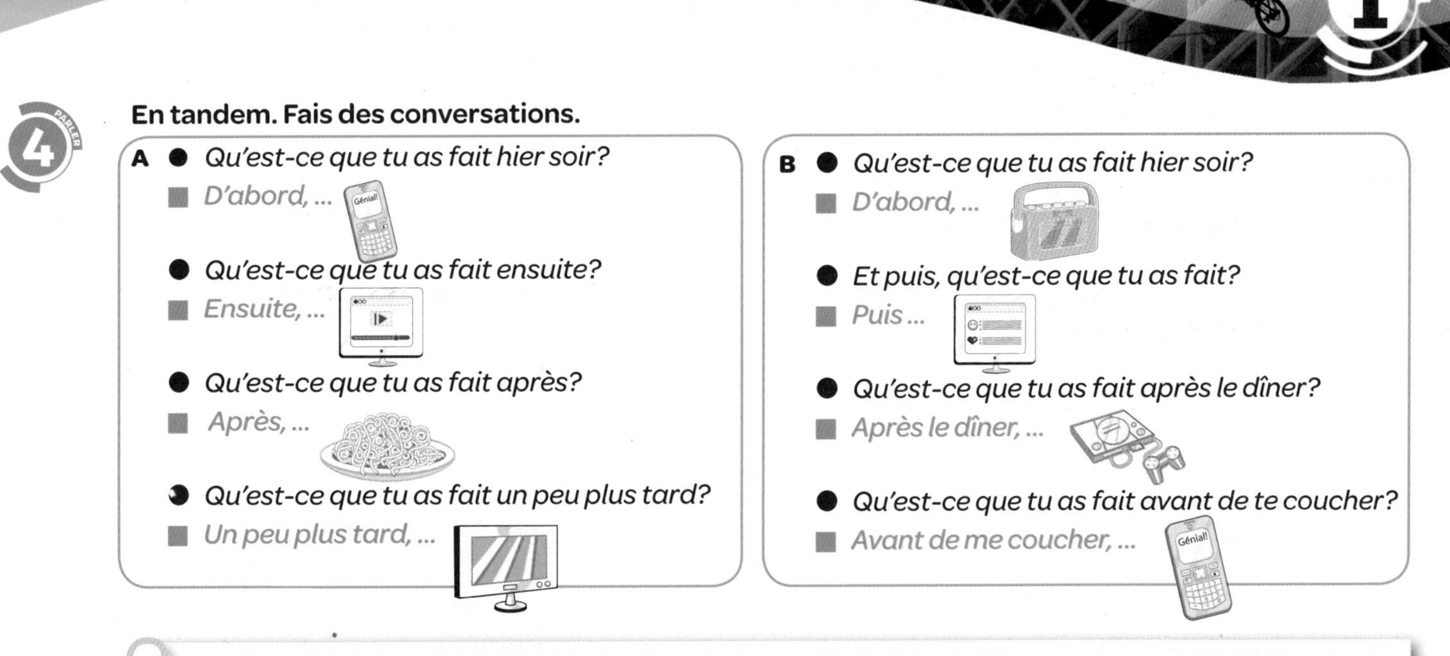

A
- ● *Qu'est-ce que tu as fait hier soir?*
- ■ *D'abord, ...*
- ● *Qu'est-ce que tu as fait ensuite?*
- ■ *Ensuite, ...*
- ● *Qu'est-ce que tu as fait après?*
- ■ *Après, ...*
- ● *Qu'est-ce que tu as fait un peu plus tard?*
- ■ *Un peu plus tard, ...*

B
- ● *Qu'est-ce que tu as fait hier soir?*
- ■ *D'abord, ...*
- ● *Et puis, qu'est-ce que tu as fait?*
- ■ *Puis ...*
- ● *Qu'est-ce que tu as fait après le dîner?*
- ■ *Après le dîner, ...*
- ● *Qu'est-ce que tu as fait avant de te coucher?*
- ■ *Avant de me coucher, ...*

Use expressions of time to make your answers more interesting.
hier (soir) *yesterday (evening),* **d'abord** *first,* **ensuite** *next,* **après** *afterwards,* **après (le dîner)** *after (dinner),* **puis** *then,* **avant (de me coucher)** *before (going to bed),* **plus tard** *later*
Also say who you were with. The more detail you give, the higher your level will be.

5 Réécris la chanson. Utilise les expressions de temps de l'exercice 4.

Rewrite the song. Use the time expressions from exercise 4.

6 Lis et note vrai (V) ou faux (F).

Hier soir? J'ai regardé la liste des films disponibles sur mon site de films préférés et j'ai téléchargé le dernier film de Ben Stiller. À mon avis, Ben Stiller est un acteur plutôt marrant. Il est top. J'ai regardé mon film vers huit heures du soir et j'ai mangé une pizza et du popcorn. Miam-miam. **Valentin**

J'ai dévoré le dernier roman de Stephenie Meyer. J'adore ses livres, ils sont supers. **Marie**

J'ai regardé un épisode de mon émission préférée à la télé, *Plus belle la vie*. J'ai adoré! C'est une série que je ne rate jamais. **Lucie**

Moi, j'ai dîné et puis ensuite, j'ai joué au Scrabble avec mes parents. Nous ne regardons jamais la télévision et nous n'avons pas d'ordinateur à la maison. **Antoine**

dévorer *to devour*

1. L'émission préférée de Lucie est un documentaire.
2. Antoine regarde la télé avec ses parents.
3. Valentin aime les films de Ben Stiller.
4. Marie n'est pas fan des livres de Stephenie Meyer.
5. Antoine a joué au Scrabble sur son ordi.
6. Valentin aime les pizzas et le popcorn.

Add a comment and an opinion in the present tense to show that you can refer to two time frames.

7 Qu'est-ce que tu as fait hier soir? Écris un paragraphe.

PAST			PRESENT
Hier soir,	d'abord,	j'ai surfé ...	J'adore aller sur des blogs ..., je trouve ça ...
	et puis,	j'ai joué ...	J'aime jouer à ..., je pense que c'est ...
	ensuite,	j'ai fait ...	J'adore faire ..., c'est ...

Bilan

Unité 1

I can

- talk about TV programmes: *J'adore les documentaires.* *Je n'aime pas les infos.*
- say what my favourite programme is: *Mon émission préférée, c'est ...*
- ☐ use different subject pronouns: *je, tu, il, elle, on, nous, vous, ils, elles*
- ☐ use *–er* verbs in the present tense: *je regarde/tu regardes/il regarde ...*
- ☐ use *ne ... pas* and *ne ... jamais*: *je n'aime pas, je ne regarde jamais ...*

Unité 2

I can

- talk about different types of film: *J'adore les comédies.* *Je déteste les films d'amour.*
- ☐ use the verb *être* in the present tense: *Je suis fan de films d'arts martiaux.*
- ☐ use the verb *avoir* in the present tense: *J'ai une passion pour les comédies.* *J'ai horreur des films d'action.*

Unité 3

I can

- talk about different types of book: *En ce moment, je lis un livre fantastique/un roman/un manga.*
- give my opinion: *À mon avis, c'est amusant.* *Je pense que c'est barbant.*
- ☐ use *–ir* and *–re* verbs in the present tense: *je finis/tu finis/il finit ...* *je vends/tu vends/il vend ...*

Unité 4

I can

- talk about what I do on the internet: *J'envoie des e-mails.*
- use expressions of frequency: *Une fois par semaine, je fais des achats.*
- give opinions: *Je trouve ça pratique.*
- use *parce que* and *car* to make sentences more complex: *Je ne vais jamais sur les blogs parce que je trouve ça ennuyeux.*
- ☐ use *aller* in the present tense: *Je vais sur des blogs.*
- ☐ use *faire* in the present tense: *Je fais des recherches.*

Unité 5

I can

- talk about what I did yesterday evening: *Hier soir, j'ai surfé sur Internet.*
- use sequencers: *D'abord, j'ai envoyé des e-mails. Ensuite, j'ai tchatté sur MSN avec des copains.*
- ☐ form the perfect tense of *–er* verbs: *jouer → j'ai joué*

Révisions

Écoute et remplis le tableau. (1–3)

	Watches	Likes	Doesn't like	Never watches
Laura				
Hakim				
Johnny				

En tandem. Fais des conversations. Utilise les images.

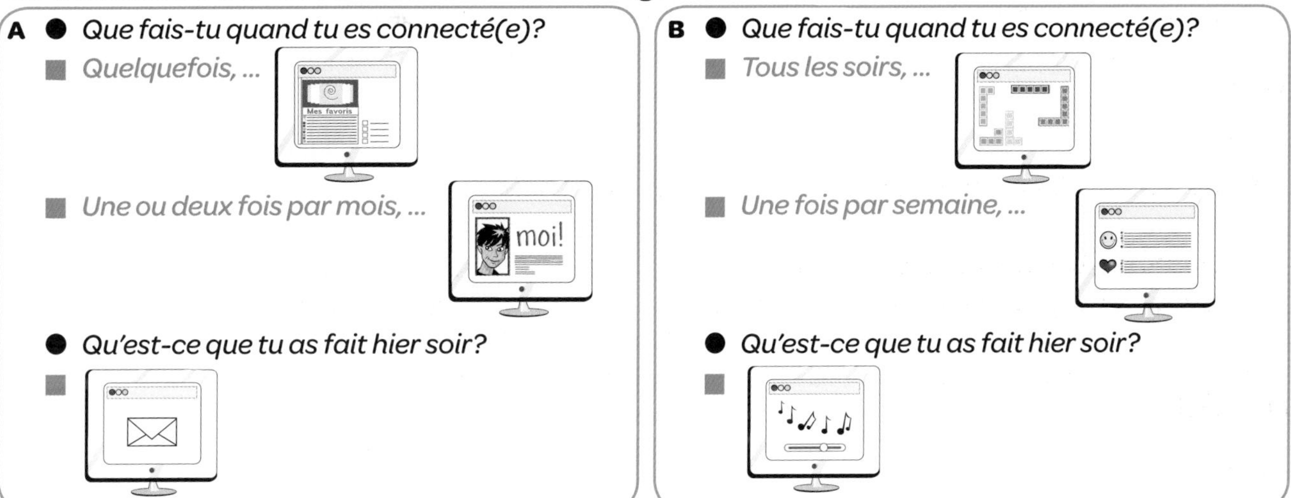

Lis les textes. Copie et remplis le tableau.

1 Zacharie

Moi, j'adore les films d'aventure et j'aime bien les comédies, mais je ne regarde jamais les films d'horreur. Hier soir, d'abord, j'ai dîné et ensuite, j'ai regardé un dessin animé. Très cool.

2 Mélanie

Moi, j'adore les films d'arts martiaux, mais j'ai horreur des films d'amour.
J'aime bien les films fantastiques et j'ai une passion pour les films de science-fiction. Hier soir, j'ai joué à des jeux en ligne avec ma sœur et ensuite, on a regardé La Guerre des Étoiles. *Un classique!*

	☺	☹	Never watches	Recently watched
Zacharie				
Mélanie				

Écris une réponse à la question: «Tu es branché(e)?»

- Talk about the television programmes you like.
- Say what your favourite film is and why.
- Say what book you are reading at the moment, giving your opinion.
- Say what you use the internet for.
- Talk about what you did yesterday evening.

En plus: À ne pas rater!

Écoute et lis les textes.

a

Hier soir, j'ai regardé la télé. J'ai regardé mon émission de télé préférée qui s'appelle *Glee*. C'est une série pour les jeunes. C'est l'histoire de la vie d'un groupe de jeunes à l'école. Mon personnage préféré, c'est Rachel car elle est jolie et intelligente. L'action se passe dans un collège aux États-Unis.
Je pense que le scénario est super et que les acteurs sont talentueux. En général, les thèmes sont toujours très intéressants. À mon avis, c'est passionnant, c'est assez tragique et c'est un peu émouvant aussi.
Je recommande cette série à tout le monde.
Virginie

ça tourne mal	*it goes wrong*
comme	*as*
l'histoire	*story*
sans-papiers	*illegal immigrant*
se passer	*to happen*
le tonnerre	*thunder*
tourner un film de guerre	*to make a war film*
la vie	*life*

b

Hier soir, j'ai regardé mon film préféré qui s'appelle *Tonnerre sous les tropiques*. C'est une comédie et je trouve que c'est très amusant. L'action se passe dans la jungle. C'est l'histoire de cinq acteurs qui tournent un film de guerre et ça tourne mal! Je pense que le scénario est formidable et que les acteurs sont très drôles. Mon personnage préféré, c'est Kirk Lazarus, un acteur très sérieux interprété par Robert Downey Jr. À mon avis, c'est un film génial. À ne pas rater. Je recommande ce film à tout le monde.
Akim

c

Hier soir, je n'ai pas regardé la télé. Moi, j'ai une passion pour les romans et j'ai préféré lire. Mon roman préféré s'appelle *Moi, Félix, 10 ans, sans-papiers*. C'est l'histoire d'un jeune sans-papiers. L'action se passe à Brest, en Bretagne. Comme personnage, Félix est sympathique et courageux et à mon avis, ses relations avec sa famille sont réalistes.
Je pense que c'est un livre passionnant, mais en même temps, c'est une histoire très triste. Je recommande ce livre à tout le monde.
Laura

Relis les textes et corrige l'erreur dans chaque phrase.

1 L'action de *Glee* se passe en Angleterre.
2 Virginie pense que le scénario de *Glee* est nul.
3 *Tonnerre sous les tropiques* est un film d'arts martiaux.
4 Akim pense que les acteurs dans *Tonnerre sous les tropiques* sont très sérieux.
5 Laura trouve que Félix est drôle.
6 Laura pense que le livre *Moi, Félix, 10 ans, sans-papiers* est ennuyeux.

Trouve l'équivalent de ces expressions dans les textes.

1 It's the story of ...
2 my favourite character
3 In my view, it's exciting.
4 The action takes place in the jungle.
5 I think the script is great.
6 played by
7 as a character
8 but at the same time
9 I recommend this book to everyone.

Trouve et traduis les adjectifs.

émouvantpassionnantintéressanteffrayantmystérieuxennuyeuxcomiquetragiqueformidable

Écoute et répète.

passionnant ... tragique ... ennuyeux ... effrayant ... comique ... mystérieux

-ant	*This is a nasal vowel and the 't' is silent. Practise trying to make the sound come up and out of your nose rather than through your mouth!*
-ique	*Say this like 'eek' but quickly and with the emphasis on the 'k'.*
-eux	*Push your lips forward to make this sound as if you were about to blow out a candle.*

Copie le texte et remplis les blancs avec les mots de la liste.

Une émission de télé que je (1) ________ s'appelle *Cold Case, Affaires classées*.
C'est (2) ________ d'une équipe de policiers qui essaient de résoudre des crimes.
L'action se passe à Philadelphie aux États-Unis.
Le scénario est (3) ________ et les acteurs sont nuls.
Les thèmes sont toujours (4) ________ .
À mon avis, c'est barbant.
Je ne regarde (5) ________ cette série et je ne vous la recommande (6) ________ !

ennuyeux
l'histoire
jamais
déteste
idiot
pas

Prépare un exposé oral sur ton livre ou film préféré ou ton émission de télé préférée.

Mon émission de télé préférée *Mon film/livre préféré*	*s'appelle ...*	
C'est ...	*une série*	*pour les enfants/les adultes/les jeunes.*
	une comédie/un film de guerre.	
	un roman/une BD/un manga.	
C'est l'histoire de ...		
L'action se passe ...		
À mon avis, c'est ...	*formidable/passionnant/émouvant.*	
Je recommande ce film/ce livre/cette émission à tout le monde!		

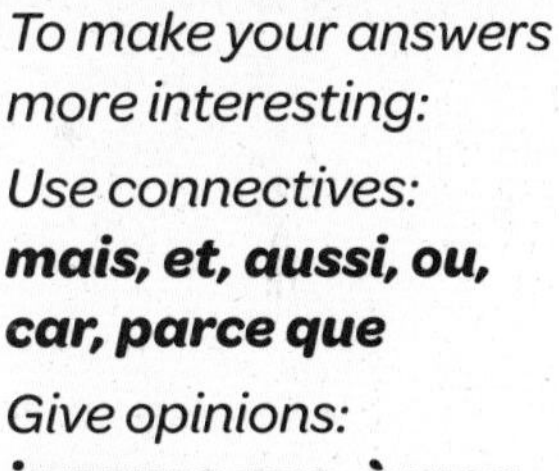

To make your answers more interesting:

Use connectives:
mais, et, aussi, ou, car, parce que

Give opinions:
je pense que, à mon avis

Justify your opinions:
je trouve ça ... parce que/car ...

Use expressions like:
en ce moment, en général

When your classmates have finished their presentations, award them one star, two stars or three stars for each of these categories:

- pronunciation
- confidence and fluency
- using longer sentences.

Use phrases like ***Bravo! Super! Intéressant! Pas mal!***

Try to be constructive in your comments. If you think someone could do better, suggest what they could improve and how.

Studio Grammaire

The present tense

Regular *–er* verbs

The infinitive is the 'head of the family'. Many infinitives end in ***–er***. These verbs follow a pattern. See the Verb tables on page 128 and learn this pattern by heart.

1 Copy the text and fill in the gaps with the correct part of the verb *penser* (to think).

★ Que ❶ ▬-tu du dernier film de Bruce Willis?

◆ Je ❷ ▬ que c'est super, mais ma sœur n'aime pas du tout ce film. Elle ❸ ▬ que c'est idiot.

★ Mes parents aussi. Ils ❹ ▬ que c'est stupide, mais moi, j'adore.

◆ Oui, nous deux, nous sommes d'accord. Nous ❺ ▬ que c'est chouette.

Irregular verbs: *avoir* and *être*

Some verbs are irregular. You need to learn these verbs by heart. See the Verb tables on page 128.

2 Which pronoun goes with which part of *avoir*? Make full sentences.

1 *J'*
2 *Tu*
3 *Il*
4 *Nous*
5 *Vous*
6 *Elles*

a *a quel âge?*
b *avons horreur des films de guerre.*
c *ont les cheveux longs.*
d *ai une passion pour les romans.*
e *as des frères et des sœurs?*
f *avez Internet à la maison?*

3 Translate these sentences into French using the verb *être*.

1 He is interesting.
2 Cartoons are funny.
3 Are you (informal) a fan of horror films?
4 We are fans of action films.
5 They (feminine) are fantastic.
6 You (plural) are on my blog.

Irregular verbs: *aller* and *faire*

See the Verb tables on page 128 for these two irregular verbs.

4 Choose the correct verb to complete each sentence. Then translate the sentences into English.

1 *Moi, je fais/fait beaucoup de choses sur Internet.*
2 *Quelquefois, tu fais/faisons des recherches pour tes devoirs.*
3 *L'internaute typique vas/va souvent sur des blogs.*
4 *Les jeunes vont/allons sur les sites communautaires.*
5 *Mon frère fait/font ses devoirs tous les soirs.*
6 *Avec mes amis, on fait/font des quiz.*
7 *Nous allons/vont sur nos sites préférés.*
8 *Vous allons/allez à la bibliothèque et vous choisissez un livre.*

Regular *–ir* and *–re* verbs

The two other most common types of regular verbs are ***–ir*** and ***–re*** verbs.
These verbs follow a pattern which you must learn by heart. See the Verb tables on page 128.

5 Look at the verb tables. Conjugate these verbs, following the same patterns.

a *entendre* to hear **b** *remplir* to fill

6 Copy the sentences and fill in the gaps with the correct form of the verb in brackets. Then translate the sentences into English.

1. *Je ▬ toujours des livres intéressants. (choisir)*
2. *Je ▬ un livre très rapidement si l'histoire m'intéresse. (finir)*
3. *Je ▬ mes livres à la bibliothèque deux fois par mois. (rendre)*
4. *En général, à la bibliothèque, les jeunes ▬ des BD. (choisir)*
5. *Tu ▬ le prochain film de Will Smith avec impatience. (attendre)*
6. *Ma sœur ne ▬ pas au téléphone. (répondre)*
7. *Une librairie ▬ des livres. (vendre)*
8. *Nous ▬ aux questions. (répondre)*
9. *Elles ▬ le nouveau film de Quentin Tarantino, c'est un film d'action. (attendre)*
10. *Vous ▬ des DVD? (vendre)*

Negatives

ne ... pas makes a sandwich around the verb.

Je ne vais pas au cinéma. I don't go to the cinema.

ne ... jamais also makes a sandwich around the verb.

je ne regarde jamais I never watch
je ne rate jamais I never miss

7 Turn these positive sentences into negative sentences using *ne ... pas* or *ne ... jamais*.

1. *J'aime les émissions de sport. (ne ... pas)*
2. *Tu regardes la télé. (ne ... jamais)*
3. *Elle aime beaucoup les infos. (ne ... pas)*
4. *Il est fan de films d'amour. (ne ... pas)*
5. *Ils vont au cinéma. (ne ... jamais)*
6. *Nous allons sur des blogs. (ne ... jamais)*
7. *Vous aimez les émissions de télé-réalité. (ne ... pas)*
8. *Je fais mes devoirs. (ne ... jamais)*
9. *Elles lisent des BD. (ne ... pas)*
10. *Tu rates la météo. (ne ... jamais)*

Vocabulaire

À la télé • On TV

je regarde ...	*I watch ...*
les dessins animés	*cartoons*
les documentaires	*documentaries*
les émissions de sport	*sports programmes*
les émissions de télé-réalité	*reality TV shows*
les émissions musicales	*music shows*
les infos	*the news*
les jeux télévisés	*game shows*
la météo	*the weather*
les séries	*series*
les séries policières	*police series*
les séries américaines	*American series*
Mon émission préférée, c'est ...	*My favourite programme is ...*
j'adore	*I love*
j'aime bien	*I like*
je n'aime pas	*I don't like*
je ne regarde jamais	*I never watch*
je ne rate jamais	*I never miss*

Les films • Films

j'aime ...	*I like ...*
je suis fan de ...	*I'm a fan of ...*
je ne suis pas fan de ...	*I'm not a fan of ...*
j'ai une passion pour les ...	*I have a passion for ...*
j'ai horreur des ...	*I really dislike ...*
je déteste ...	*I hate ...*
les comédies	*comedies*
les films d'action	*action films*
les films d'amour	*romantic films*
les films d'arts martiaux	*martial-arts films*
les films d'aventure	*adventure films*
les films fantastiques	*fantasy films*
les films d'horreur	*horror films*
les films de science-fiction	*science-fiction films*
mon acteur préféré, c'est ...	*my favourite actor is ...*
mon film préféré, c'est ...	*my favourite film is ...*

Qu'est-ce que tu lis? • What are you reading?

je lis ...	*I'm reading ...*
une BD	*a comic book*
un livre sur les animaux	*a book on animals*
un livre d'épouvante	*a horror story*
un magazine sur les célébrités	*a magazine about celebrities*
un manga	*a manga*
un roman fantastique	*a fantasy novel*
un roman policier	*a thriller*
un roman d'amour	*a love story*

Les opinions • Opinions

à mon avis, c'est ...	*in my opinion, it's ...*
je pense que c'est ...	*I think it's ...*
je trouve ça ...	*I find it ...*
amusant	*funny*
assez bien	*quite good*
barbant	*boring*
chouette	*excellent*
effrayant	*frightening*
émouvant	*moving*
ennuyeux	*boring*
génial	*great*
intéressant	*interesting*
nul	*rubbish*
passionnant	*exciting*
pratique	*practical*
stupide	*stupid*
formidable	*great*
idiot	*stupid*

Sur Internet • On the internet

J'envoie des e-mails.	*I send emails.*
Je fais beaucoup de choses.	*I do lots of things.*
Je fais des recherches pour mes devoirs.	*I do research for my homework.*
Je fais des achats.	*I buy things.*
Je fais des quiz.	*I do quizzes.*
Je joue à des jeux en ligne.	*I play games online.*
Je mets à jour ma page perso.	*I update my homepage.*
Je vais sur mes sites préférés.	*I go onto my favourite sites.*
Je vais sur des blogs.	*I go onto blogs.*
Je vais sur des forums.	*I go onto forums.*

Hier soir • Last night

J'ai discuté.	*I discussed/chatted.*
J'ai écouté la radio.	*I listened to the radio.*
J'ai envoyé des SMS.	*I sent text messages.*
J'ai joué à des jeux en ligne.	*I played games online.*
J'ai posté des photos.	*I posted photos.*
J'ai regardé la télé/des clips vidéo.	*I watched TV/video clips.*
J'ai surfé sur Internet.	*I surfed the net.*
J'ai tchatté sur MSN.	*I chatted on MSN.*
J'ai téléchargé des chansons.	*I downloaded some songs.*

Les mots essentiels • High-frequency words

assez	*quite*
aussi	*also*
car	*because*
comme	*as*
et	*and*
mais	*but*
très	*very*
un peu	*a bit*
parce que	*because*
par exemple	*for example*
surtout	*above all*
Expressions of time and frequency	
d'habitude	*usually*
de temps en temps	*from time to time*
en ce moment	*at the moment*
quelquefois	*sometimes*
souvent	*often*
tous les jours	*every day*
une ou deux fois par mois	*once or twice a month*
Sequencers	
après (le dîner)	*after (dinner)*
avant (de me coucher)	*before (I go to bed)*
d'abord	*first*
ensuite	*next*
puis	*then*
un peu plus tard	*a bit later*

Stratégie 1

Improving your pronunciation

One way of improving your French pronunciation is to listen to famous French people speaking English. They often use French sounds when they're speaking English. They use French intonation too. Intonation is the way the voice goes up and down when you string words together.

Can you imitate a French person speaking English? Why not speak English in a French accent to your teacher? Keep it up for a whole lesson. If this really gets on their nerves, try speaking French with the same accent. Your teacher can't complain about that!

Turn to page 130 to remind yourself of the *Stratégies* you learned in *Studio 1*.

Module 2 Paris, je t'adore!

Paris has something for everyone!

- **Build completed in 1889**
- **Named after its creator**
- **Visited by over six million people a year**
- **324 metres high**

What is it?

For a really creepy experience, visit the catacombs underneath Paris, where millions of human skulls and bones are stored. Would you like to have a party down here? King Charles X did in the 1780s, just before the French Revolution!

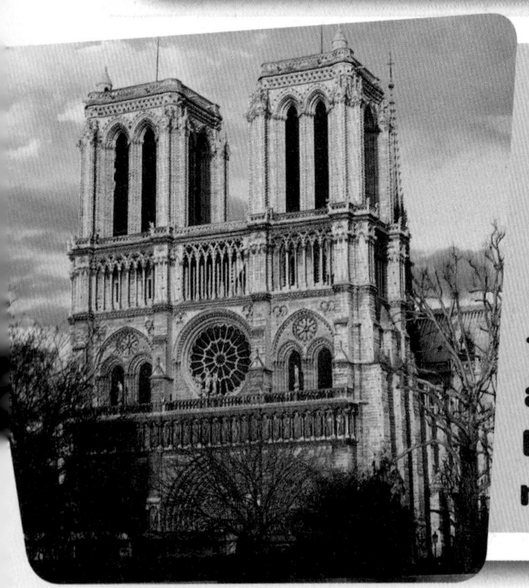

A book by Victor Hugo is set in this famous Paris cathedral. It has been filmed many times, including a Disney cartoon. Do you know the name of the book?

This dance was invented around 1830 at the Moulin Rouge nightclub in Paris. The name means 'gossip' or 'scandal'. Do you know what it is? Can you do it?

The *Mona Lisa* (la *Joconde*), by Leonardo da Vinci, is probably the most famous painting in the world. It's priceless – that means it's too valuable to put a price on it – and it's only been stolen once. You can see it in the Louvre museum, but you can't take photos, as flash photography could damage it.

The 14th of July in France is Bastille Day, or *la fête nationale* – the national holiday. In Paris, there are fireworks and a big parade. But do you know why this day is celebrated?

Paris has two professional football teams: PSG (Paris Saint-Germain) and Paris FC.
PSG's home ground is the Parc des Princes stadium, but international football and rugby matches are played at the Stade de France.

Paris is the fashion capital of the world, and Paris Fashion Week takes place twice a year, in the spring and autumn. What do you think of this outfit?

What would you like to do if you went to Paris?

1 Une semaine à Paris

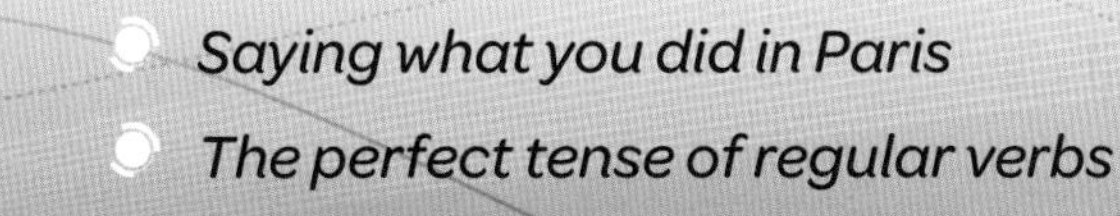

- *Saying what you did in Paris*
- *The perfect tense of regular verbs*

1 ÉCOUTER **Écoute et mets les photos dans le bon ordre.**

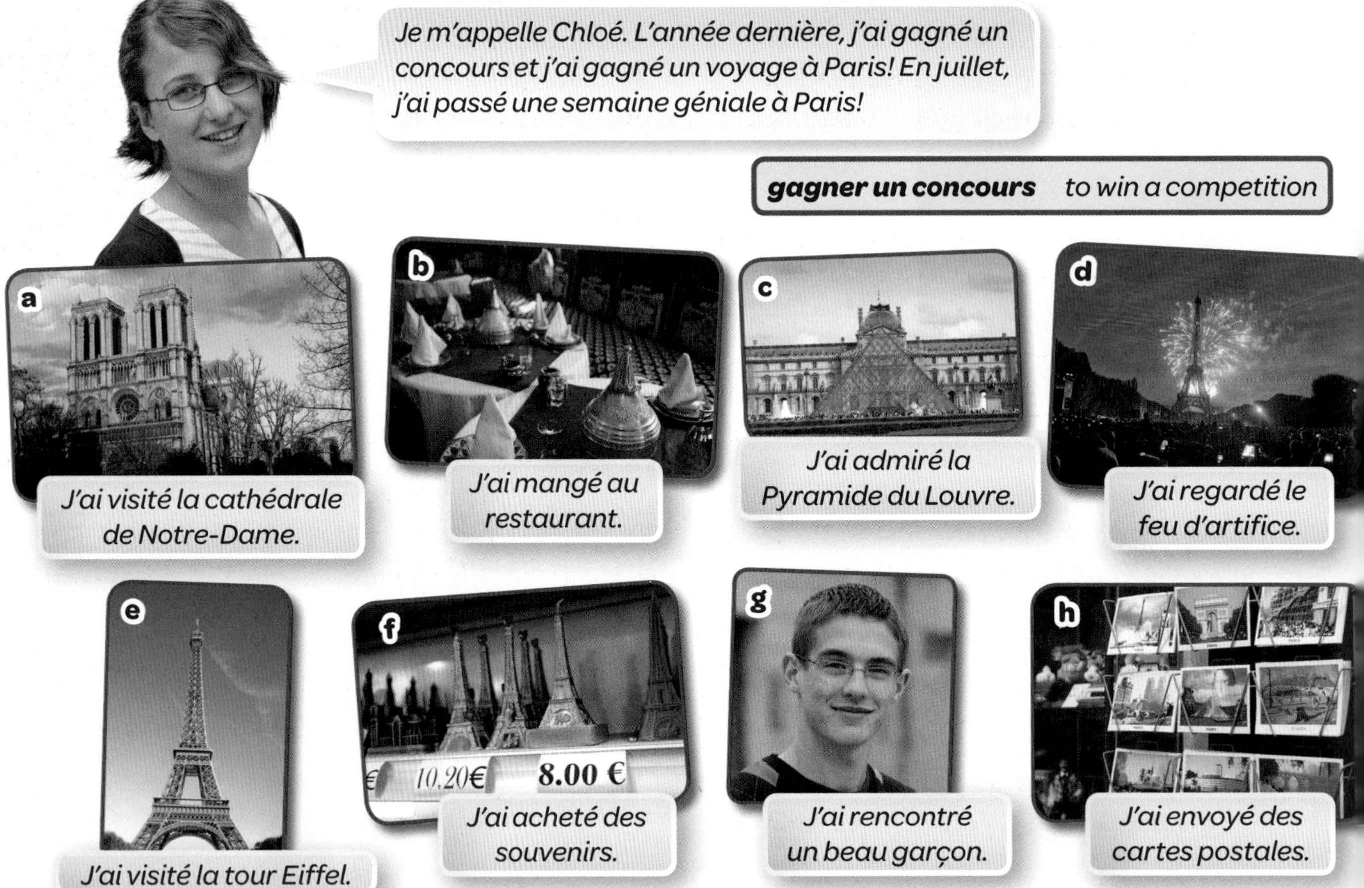

Je m'appelle Chloé. L'année dernière, j'ai gagné un concours et j'ai gagné un voyage à Paris! En juillet, j'ai passé une semaine géniale à Paris!

gagner un concours	*to win a competition*

a *J'ai visité la cathédrale de Notre-Dame.*

b *J'ai mangé au restaurant.*

c *J'ai admiré la Pyramide du Louvre.*

d *J'ai regardé le feu d'artifice.*

e *J'ai visité la tour Eiffel.*

f *J'ai acheté des souvenirs.*

g *J'ai rencontré un beau garçon.*

h *J'ai envoyé des cartes postales.*

2 PARLER **En tandem. Jeu de mémoire. Ton/Ta camarade ferme le livre et tu poses la question.**

- *Qu'est-ce que tu as fait à Paris?*
- *J'ai visité la tour Eiffel, j'ai ...*

3 LIRE **Lis l'e-mail et choisis la bonne réponse. Utilise le Mini-dictionnaire, si nécessaire.**

1. L'Arc de Triomphe, c'est un monument/un magasin.
2. Le Centre Pompidou, c'est un centre commercial/un musée d'art moderne.
3. La visite au Centre Pompidou a fini à seize heures/dix-sept heures.
4. Le 14 juillet, c'est l'anniversaire de Chloé/la fête nationale française.
5. Les Champs-Élysées, c'est un restaurant/une grande avenue.
6. Le couscous, c'est un plat tunisien/une fête française.

Coucou Bethany!

Paris, c'est génial! J'adore l'histoire, alors j'ai visité beaucoup de monuments: la tour Eiffel (bien sûr!), Notre-Dame et l'Arc de Triomphe. J'ai aussi visité le Centre Pompidou parce que j'ai une passion pour l'art moderne. La visite a commencé à 14h00 et elle a fini à 17h00!

Hier, c'était le 14 juillet (c'est la fête nationale française), donc j'ai regardé le feu d'artifice et le grand défilé sur les Champs-Élysées (c'est l'avenue principale de Paris). Puis j'ai attendu le bus pendant une heure à cause de la circulation! Le soir, j'ai mangé du couscous dans un restaurant tunisien car c'est mon plat préféré. Après, j'étais très fatiguée, alors j'ai très bien dormi dans mon hôtel.

J'ai aussi rencontré un beau garçon! Il s'appelle Raphaël et il est en vacances à Paris. Tu es jalouse, non?!!

Bisous

Chloé

Écoute Raphaël. Quelles sont les trois phrases de la liste qu'il n'utilise pas?

Listen to Raphaël. Which three phrases in the list below does he not use?

1 Je n'ai pas visité Notre-Dame.
2 Je n'ai pas visité le Centre Pompidou.
3 Je n'ai pas mangé au restaurant.
4 Je n'ai pas regardé le feu d'artifice.
5 Je n'ai pas attendu le bus.
6 Je n'ai pas acheté de souvenirs.
7 Je n'ai pas envoyé de cartes postales.
8 Je n'ai pas bien dormi.

Studio Grammaire

Page 42

You use the perfect tense to talk about what you did or have done.

To form the perfect tense, use part of the verb ***avoir*** (to have) + **a past participle**.

The past participle of regular ***–er***, ***–ir*** and ***–re*** verbs is formed as shown in bold, below.

j'ai *tu as* *il/elle/on a* *nous avons* *vous avez* *ils/elles ont*	e.g. *visit**er** → visit**é*** e.g. *fin**ir** → fin**i*** e.g. *attend**re** → attend**u***

Studio Grammaire

Page 42

To make a perfect tense verb negative, put ***ne ... pas*** around **the part of *avoir***.

*Je **n'ai pas** mangé au restaurant.*

Change *un/une* and *du/de la/de l'/des* to **de** after a negative:

*J'ai envoyé **une** carte postale à mes parents.* →
*Je n'ai pas envoyé **de** carte postale à mes parents.*

*J'ai acheté **des** souvenirs.* →
*Je n'ai pas acheté **de** souvenirs.*

En tandem. Choisis A, B, C ou D.
Réponds sans dire ni «oui» ni «non»!

Choose A, B, C or D. Answer without saying 'yes' or 'no'!

Exemple:

- *Tu as visité la tour Eiffel?*
- *Je n'ai pas visité la tour Eiffel.*
- *Tu as mangé au restaurant?*
- *Je n'ai pas mangé au restaurant.*
- *Tu as regardé le feu d'artifice?*
- *J'ai regardé le feu d'artifice.*
- *Tu es Guillaume!*

A

Medhi

B
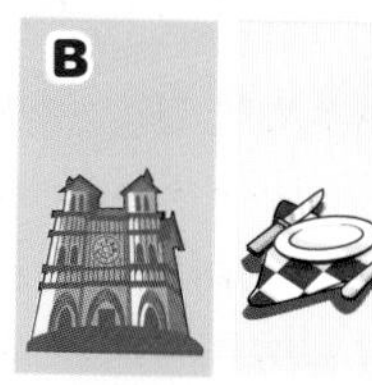

Coralie

C

Guillaume

D

Amandine

Imagine que tu as visité Londres.
Écris un e-mail à un copain/une copine.
Adapte l'e-mail de Chloé.

- Start with a greeting: *Salut, Thomas!*
- Give your opinion of London.
- Say what you have done there.
- Explain why: *alors/donc/parce que/car*.
- Try to include an ***–ir*** and an ***–re*** verb.
- Sign off: *Bisous/Ton copain/Ta copine*.

le musée de Madame Tussaud
le Donjon/le zoo/la tour de Londres
la cathédrale de Saint-Paul
(Buckingham Palace and Oxford Street are the same in French!)

2 Mon album photos

- *Saying when you did things*
- *The perfect tense of irregular verbs*

1 Lis la carte postale et mets les photos dans le bon ordre.

a b c d e f

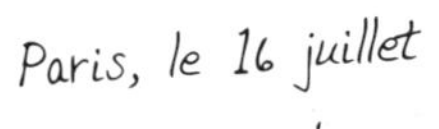

Paris, le 16 juillet

Salut, maman!
Le voyage scolaire à Paris se passe bien. Avant-hier, on a fait une balade en bateau-mouche sur la Seine. Du bateau, on a vu tous les monuments et j'ai pris beaucoup de photos avec mon portable. On a aussi fait les magasins au Forum des Halles, mais je n'ai pas acheté de souvenirs parce que c'était trop cher pour moi. Hier, on a fait quelque chose d'hypercool: on a fait un tour de Paris en segway! Génial! Aujourd'hui, on a visité le musée du Louvre. J'ai vu la Joconde, mais je n'ai pas pris de photos car c'est interdit! Après, on a bu un coca au MacDo.
Bisous!
Quentin

Madame Rou
15 rue de l
76000 ROU

Studio Grammaire » Page 42

Some verbs have irregular past participles.

Infinitive	Perfect tense with *je*	Perfect tense with *on*
boire (to drink)	*j'ai* ***bu*** (I drank)	*on a* ***bu*** (we drank)
faire (to do/make)	*j'ai* ***fait*** (I did)	*on a* ***fait*** (we did)
prendre (to take)	*j'ai* ***pris*** (I took)	*on a* ***pris*** (we took)
voir (to see)	*j'ai* ***vu*** (I saw)	*on a* ***vu*** (we saw)

2 **Aïcha téléphone à un copain. Écoute et note en anglais ce qu'elle a fait à Paris et quand. (1–5)**

Aïcha phones a friend. Listen and note down in English what she did in Paris and when.

Exemple: **1** today, segway tour

hier – yesterday
avant-hier – day before yesterday
aujourd'hui – today
(lundi) dernier – last (Monday)

3 **Écoute et répète.**

tu, du, bu, vu, jus, musée
ou, tour, mouche, Louvre, souvenir, aujourd'hui

Tu as vu un bateau-mouche aujourd'hui?
Tu as bu du jus au musée du Louvre?

Make the difference between the sounds ***u*** *(pull your top lip down a bit) and* ***ou*** *(pout your lips slightly).*

En tandem. Voici ton agenda. Tu poses des questions et ton/ta camarade répond. Aujourd'hui, c'est samedi!

In pairs. Here's your diary. You ask questions and your partner answers. Today is Saturday!

Exemple:

- *Qu'est-ce que tu as fait avant-hier?*
- *J'ai fait une balade en bateau-mouche.*
- *Qu'est-ce que tu as fait lundi?*
- *J'ai ...*

Qu'est-ce que tu as fait à Paris?

J'ai bu ...	*On a fait ...*
J'ai pris ...	*On a acheté ...*
J'ai vu ...	

lundi	segway
mardi	le Louvre (la Joconde!)
mercredi	photos
jeudi	bateau-mouche
vendredi	coca, cartes postales
samedi	magasins (souvenirs)
dimanche	

5 Regarde l'agenda encore une fois. Écris ton blog.

Exemple:

Aujourd'hui, j'ai fait les magasins et j'ai acheté des souvenirs. Hier, ...

6 Écoute et lis le rap.

Rap parisien

J'suis parisien, je m'appelle Baptiste,
J'habite dans la banlieue, j'suis pas un touriste!
Mais pour changer un peu, ma bande et moi
On a visité Paris, y'a beaucoup à voir!
On a visité le Louvre et la tour Eiffel,
On a vu la *Joconde*: elle est très, très belle!
On a fait les magasins sur les Champs-Élysées,
On a aussi fait un p'tit tour en segway.
On a vu le Centre Pompidou, j'ai trouvé ça marrant
Et au Moulin Rouge, on a dansé le cancan!
On a même fait une balade en bateau-mouche.
Tu vois, faut pas nous juger sur nos sweats à capuche!

la banlieue	*the suburbs*
j'suis *and* ***y'a***	*(colloquial abbreviations of* ***je suis*** *and* ***il y a****)*
faut pas nous juger sur nos sweats à capuche	*don't judge us by our hoodies*

7 Lis le rap à voix haute.

8 Écris d'autres couplets pour le rap.

Include when you did things and examples of both the ***je*** *and the* ***on*** *forms of the verb.*

3 C'était comment, les catacombes?

- *Understanding information about a tourist attraction*
- c'était ... *and* j'ai trouvé ça ...

C'était comment, la visite des catacombes? Écoute et écris les deux bonnes lettres pour chaque dialogue. (1–5)

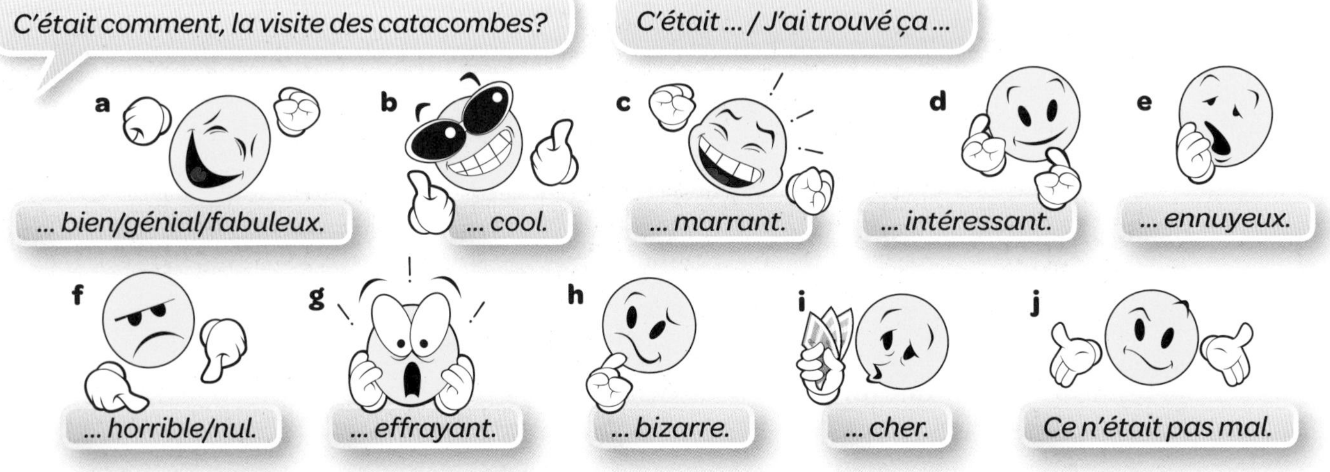

En tandem. Mime ta visite à Paris! Ton/Ta camarade devine.

In pairs. Mime your visit to Paris. Your partner guesses.

Exemple:

- *Qu'est-ce que tu as fait à Paris?*
- *(Tu mimes.)*
- *Tu as visité la tour Eiffel!*
- *Bravo!*
- *C'était comment?*
- *(Tu mimes ton opinion.)*
- *C'était ennuyeux?*
- *Oui, j'ai trouvé ça ennuyeux!*

When you give an opinion, remember that your facial expression and tone of voice are just as important as what you say.

Studio Grammaire

You can use ***c'était*** or ***j'ai trouvé ça*** **+ an adjective** to give your opinion about something in the past.

Hier, j'ai visité la tour Eiffel. ***C'était fabuleux.*** */*
J'ai trouvé ça fabuleux.

With a negative, ***c'était*** works like this:

Ce ***n'était pas*** *cher.* It wasn't expensive.

Lis le texte et trouve les sept erreurs de logique.

Exemple: J'ai adoré Paris: c'était nul! → fabuleux!

J'ai adoré Paris: c'était nul! Lundi dernier, on a visité le Centre Pompidou. J'aime beaucoup l'art moderne, donc j'ai trouvé ça horrible. Mardi, j'ai fait les magasins sur les Champs-Élysées, mais je n'ai pas acheté de souvenirs parce que ce n'était pas trop cher. On a aussi visité la tour Eiffel. Il a fait très froid et on a fait la queue pendant une heure, alors, c'était marrant. Avant-hier, on a fait une balade en bateau-mouche. J'ai pris beaucoup de photos parce que c'était nul. Hier, on a visité les catacombes et mon copain Guillaume a trouvé ça ennuyeux car il a une passion pour les films d'horreur! Mais moi, je n'ai pas aimé les catacombes: j'ai trouvé ça bien.

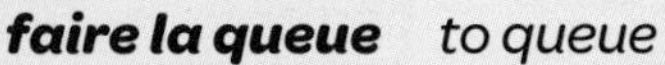

Imagine. Qu'est-ce que tu as fait à Paris? C'était comment? Écris un paragraphe.

Exemple:

J'ai fait un tour de la ville en segway. C'était **assez** bizarre et **très** marrant, mais j'ai trouvé ça **un peu** cher.

Use intensifiers with your opinions: ***très, assez, un peu.***

Lis la publicité pour les catacombes. Réponds à la question.

VISITEZ LES CATACOMBES DE PARIS!

1 avenue du Colonel Henri Rol-Tanguy
75014 Paris
Tél.: 01 43 22 47 63
Métro: Denfert-Rochereau

Horaires d'ouverture:
Ouvert du mardi au dimanche de 10h00 à 17h00
Fermé le lundi et les jours fériés

Tarifs d'entrée:
Plein tarif: 8€
Tarif jeune (de 14 ans jusqu'à 26 ans): 4€
Gratuit pour les enfants jusqu'à 13 ans
Visites guidées: 12,50€

Pas de toilettes.

J'ai beaucoup aimé ma visite des catacombes. C'était génial!
Jérôme, 12 ans

On a fait une visite scolaire dans les catacombes et j'ai trouvé ça très intéressant.
Axelle, 13 ans

Which **two** of these pieces of information are **not** given in the advert?

a address
b telephone number
c which buses stop there
d opening days
e opening times
f how much it costs
g whether there are any toilets
h whether there is a souvenir shop

6 **Trouve l'équivalent des mots suivants dans le texte de l'exercice 5.**

1 open from Tuesday to Sunday
2 from 10 a.m. to 5 p.m.
3 closed on Mondays
4 full price: eight euros
5 free for children up to 13 years old
6 guided tours

7 **Réponds en français aux questions des touristes sur les catacombes.**

1 C'est ouvert le samedi?
2 C'est ouvert le lundi?
3 Je veux visiter à onze heures. C'est possible?
4 J'ai dix-sept ans. C'est combien?
5 J'ai douze ans. C'est combien?
6 Il y a des toilettes?

8 **Choisis une attraction dans ta région (un château, un musée, un parc d'attractions, ...). Écris une publicité pour les touristes français.**

Exemple:

*Include some comments from visitors in your advert to encourage people to go there. Use the perfect tense and **c'était ...***

4

24 heures chrono!

- *Saying where you went and how*
- *The perfect tense with être*

Écoute et trouve la bonne photo. (1–8)

Listen and find the right photo.

Je suis allé(e) / On est allé(e)s à Paris ...

En tandem. Tu mimes. Ton/Ta camarade complète ta phrase.

Exemple:

- ● *Je suis allé(e) à Paris en ... (tu mimes)*
- ■ *Je suis allé(e) à Paris en bus!*

Lis et copie le texte dans l'ordre logique.

Exemple: J'ai passé 24 heures à Paris! Hier, je suis allé à Paris en train ...

Je suis arrivé à la Gare du Nord à dix heures et demie.

Ce matin à onze heures, je suis rentré chez moi.

Je suis resté une heure à Notre-Dame.

Le train est parti à neuf heures.

Le soir, je suis sorti. Je suis allé au cinéma à pied.

Je suis allé au musée du Louvre, à la tour Eiffel et à Notre-Dame en métro.

J'ai passé 24 heures à Paris! Hier, je suis allé à Paris en train.

4 **Écoute et vérifie.**

Studio Grammaire

Page 43

Some verbs form their perfect tense with **être** (not with ***avoir***).

You add an extra **–e** to the past participle in the feminine and an extra **–s** in the plural.

aller (to go)

*je suis all**é(e)*** (I went)

*tu es all**é(e)***

*il/elle est all**é(e)**/on est all**é(e)s***

*nous sommes all**é(e)s***

*vous êtes all**é(e)(s)***

*ils sont all**és**/elles sont all**ées***

Some other verbs which use *être*:

arriver	(to arrive) →	*je suis arrivé(e)*
partir	(to leave) →	*je suis parti(e)*
rentrer	(to get/go home) →	*je suis rentré(e)*
rester	(to stay) →	*je suis resté(e)*
sortir	(to go out) →	*je suis sorti(e)*

Écoute. Copie et complète le tableau. (1–4)

	Où?	Comment?	Parti(e)	Arrivé(e)	Autres renseignements
1	tour Eiffel	en métro	10h		

*You use **en** with all the means of transport that you get into!*

Regarde les images. Décris ta visite à Paris. Adapte les phrases de l'exercice 3.

Exemple: Je suis allé(e) à Paris en car. Le car est parti à ...

Lis le texte et note: vrai (V), faux (F) ou pas mentionné (PM) dans le texte?

Visiter Paris en 24 heures, c'est possible?

Le weekend dernier, je suis allée à Paris en voiture avec mes parents. Nous sommes partis samedi matin à sept heures et nous sommes arrivés à l'hôtel à dix heures. Le voyage était très long, à cause de la circulation dans Paris. Quelle horreur!

D'abord, on est allés à la tour Eiffel. Je suis montée en haut de la tour Eiffel et j'ai pris des photos superbes. Ensuite, on a loué des segways et on est allés à l'Arc de Triomphe. C'était marrant! Après, on est allés à pied aux Champs-Élysées où j'ai fait les magasins, mais je n'ai pas acheté de souvenirs parce que c'était beaucoup trop cher pour moi. C'est dommage!

Finalement, nous avons pris le métro pour aller à Notre-Dame. Mes parents ont aimé, mais moi, je n'aime pas les monuments historiques et j'ai trouvé ça un peu ennuyeux.

Le soir, je ne suis pas sortie parce que j'étais très fatiguée. Je suis restée à l'hôtel. Nous sommes rentrés le dimanche à midi. On n'a pas tout vu, mais visiter Paris en 24 heures, oui, c'est possible!

Alex

1. They went to Paris by car.
2. The journey took two hours.
3. They took the bus to the Eiffel Tower.
4. They walked to the Arc de Triomphe.
5. The last thing they did on Saturday was go shopping.
6. Alex didn't go out in the evening.
7. They got home at midday on Sunday.
8. Alex is a boy.

monter	*to go up*
louer	*to hire*

Choisis une des grandes villes francophones à droite. Cherche sur Internet et écris le résumé d'un voyage imaginaire. Adapte le texte de l'exercice 7.

Exemple:

Samedi dernier, je suis allé(e) à Tunis, une grande ville en Tunisie, en avion. L'avion est parti ...

- Use a dictionary to look up any new words you need.
- Organise your account into logical paragraphs.
- Include transport, time, activities and opinions.
- Include examples of the *on* or the *nous* form.
- Check and correct your work carefully.
- Ask your partner to comment on your account – how could you improve it?

Tunis, en Tunisie

Bruxelles, en Belgique

Genève, en Suisse

5 Qui a volé la *Joconde*?

- *Interviewing a suspect*
- *Asking questions in the perfect tense*

On a volé la *Joconde*! Écoute et complète les questions de la police. (1–8)

The Mona Lisa*'s been stolen! Listen and finish the police's questions.*

1. Tu es allé au Louvre ▬▬?
2. Tu es allé au Louvre avec ▬▬?
3. Tu as visité le Louvre ▬▬?
4. Tu es arrivé et parti ▬▬?
5. Après, tu es allé ▬▬?
6. Tu es resté ▬▬ de temps?
7. ▬▬ tu as fait ensuite?
8. ▬▬ tu as volé la *Joconde*?

Studio Grammaire

Page 43

You can ask some questions in the perfect tense by making your voice go up at the end of the sentence.

Tu as volé la *Joconde*?

Another way is to put ***est-ce que*** at the beginning:

Est-ce que *tu as volé la* Joconde?

Other questions need question words, such as ***où*** (where), ***comment*** (how), ***qui*** (who), ***quand*** (when), ***à quelle heure*** (at what time) and ***combien*** (how much/how many).

Remember, ***qu'est-ce que*** = what:

Qu'est-ce que *tu as fait/mangé/vu?*

La police interroge un suspect: Max Menteur. Associe les questions de la police aux réponses de Max (a–h).

Exemple: **1** g

- **a** Je suis arrivé à dix heures et je suis parti à onze heures.
- **b** Après, j'ai visité les catacombes.
- **c** J'ai visité le Louvre lundi dernier.
- **d** Non! Je n'ai pas volé la *Joconde*!
- **e** Je suis allé au Louvre avec mes copains.
- **f** Ensuite, j'ai mangé un hamburger-frites au MacDo.
- **g** Je suis allé au Louvre à pied.
- **h** Je suis resté une heure dans les catacombes.

Écoute l'alibi d'un autre suspect, Marie Maline. Qu'est-ce qu'elle dit? Complète les phrases.

1 Marie a visité le Louvre lundi dernier/mardi dernier.
2 Elle est allée au Louvre avec ses parents/avec ses copains.
3 Elle a pris le train/le métro au Louvre.
4 Elle est arrivée à dix heures et quart/à dix heures et demie.
5 Ensuite, elle est allée aux catacombes/au magasin de souvenirs.
6 Elle est restée au musée une heure/deux heures.
7 Après, elle a mangé un hamburger/une glace.
8 Elle a volé/n'a pas volé la *Joconde*.

À trois. Personne A est l'inspecteur, personne B est Max Menteur et personne C est Marie Maline. L'inspecteur interroge les deux suspects!

Exemple:

- *Tu es allé au Louvre quand?*
- *Max: Je suis allé au Louvre lundi dernier.*
- *Marie: Moi, aussi. Je suis allée au Louvre lundi dernier.*
- *Tu es allé au Louvre avec qui?*

5 **Qui a volé la *Joconde*? Max ou Marie? Indice: relis la publicité à la page 33. Les catacombes sont ouvertes quand?**

6 **Tu as visité le Louvre! Regarde ton agenda et décris ta journée.**

last Wednesday - with parents - walked from hotel - arrived at 11 - stayed 3 hours - saw the Mona Lisa (great!) - afterwards went to cinema - saw...

- *You're talking about last week, so make sure you use the perfect tense.*
- *Add variety by using **on**, **nous** and **ils/elles** as well as **je**.*
- *Add opinions – don't just stick to the script.*
- *Make it clear in which order you did things – use **d'abord**, **puis**, **après**, **ensuite**, etc.*

Bilan

Unité 1

I can

- ● say what I did/have done: *J'ai acheté des souvenirs. J'ai mangé au restaurant.*
- ☐ form the perfect tense of regular verbs: *j'ai visité, j'ai fini, j'ai attendu*
- ☐ make perfect tense verbs negative: *Je n'ai pas envoyé de cartes postales.*

Unité 2

I can

- ● say when I or we did things: *Hier, j'ai pris des photos. Avant-hier, on a fait les magasins.*
- ☐ use the perfect tense of irregular verbs: *j'ai bu, on a vu, j'ai fait, on a pris*
- ● make the difference between the sounds ***u*** and ***ou***: *vu, musée, tour, mouche*

Unité 3

I can

- ● say what something was like: *C'était assez marrant. J'ai trouvé ça un peu ennuyeux.*
- ● understand information about a tourist attraction: *fermé le lundi, gratuit pour les enfants*
- ☐ use *c'était* and *ce n'était pas* + adjective: *c'était horrible, ce n'était pas cher*

Unité 4

I can

- ● say where I/we went and how: *Je suis allé(e) à Paris en avion. On est allé(e)s à la tour Eiffel à pied.*
- ☐ form the perfect tense of *être* verbs: *je suis allé(e), le train est parti, on est sorti(e)s*

Unité 5

I can

- ● ask questions about past events: *Tu as visité le musée quand? Après, tu es allé(e) où?*
- ☐ form questions in the perfect tense: *Tu es allé(e) au Louvre comment/à quelle heure/avec qui? Est-ce que tu as volé la* Joconde*?*

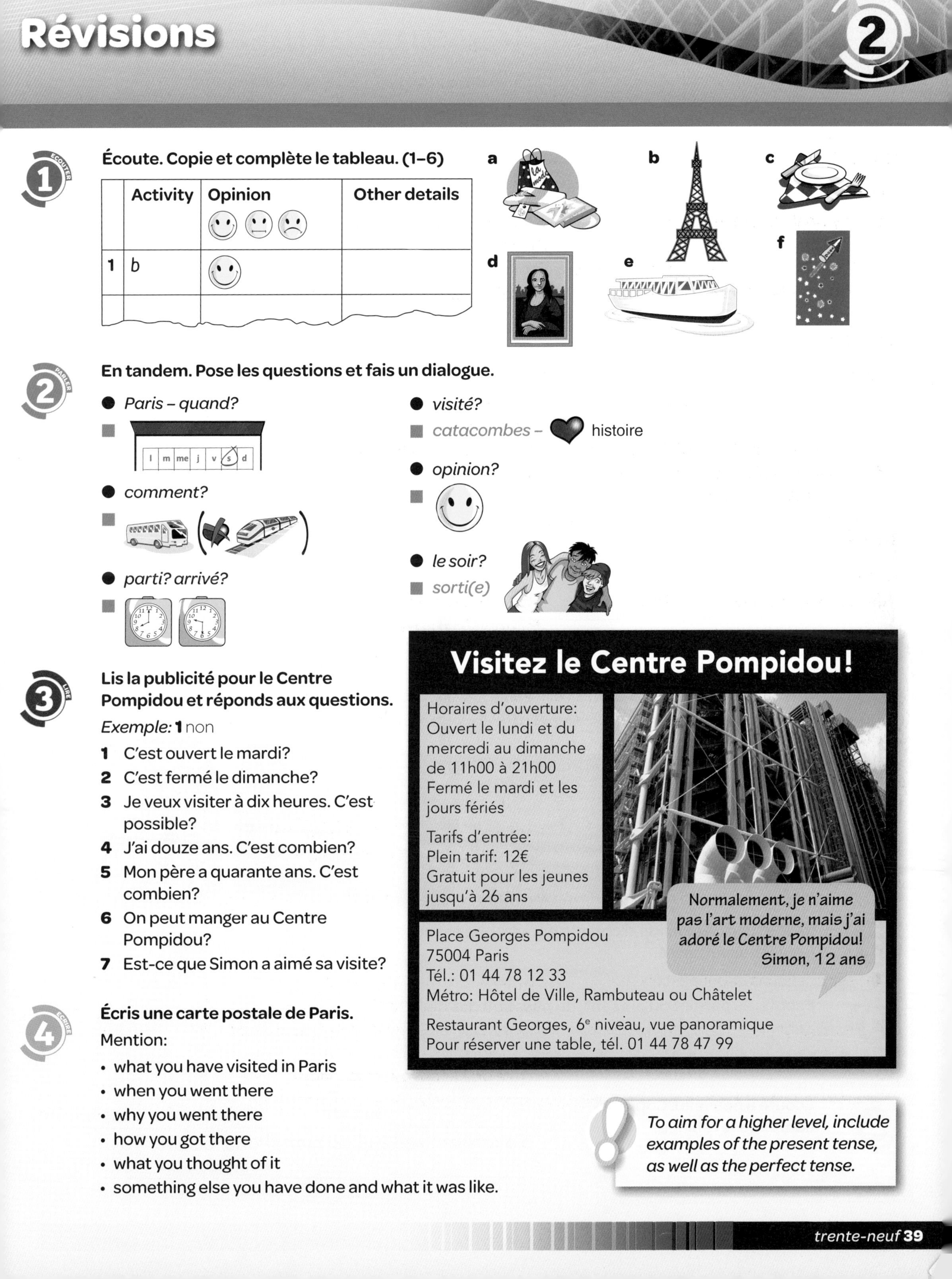

1 Écoute. Copie et complète le tableau. (1–6)

	Activity	Opinion ☺ 😐 ☹	Other details
1	*b*	☺	

a b c d e f

2 En tandem. Pose les questions et fais un dialogue.

- *Paris – quand?*
- ■ l m me j v s d
- *comment?*
- ■
- *parti? arrivé?*
- ■
- *visité?*
- ■ *catacombes* – histoire
- *opinion?*
- ■
- *le soir?*
- ■ *sorti(e)*

3 Lis la publicité pour le Centre Pompidou et réponds aux questions.

Exemple: **1** non

1. C'est ouvert le mardi?
2. C'est fermé le dimanche?
3. Je veux visiter à dix heures. C'est possible?
4. J'ai douze ans. C'est combien?
5. Mon père a quarante ans. C'est combien?
6. On peut manger au Centre Pompidou?
7. Est-ce que Simon a aimé sa visite?

Visitez le Centre Pompidou!

Horaires d'ouverture:
Ouvert le lundi et du mercredi au dimanche de 11h00 à 21h00
Fermé le mardi et les jours fériés

Tarifs d'entrée:
Plein tarif: 12€
Gratuit pour les jeunes jusqu'à 26 ans

Normalement, je n'aime pas l'art moderne, mais j'ai adoré le Centre Pompidou!
Simon, 12 ans

Place Georges Pompidou
75004 Paris
Tél.: 01 44 78 12 33
Métro: Hôtel de Ville, Rambuteau ou Châtelet

Restaurant Georges, 6e niveau, vue panoramique
Pour réserver une table, tél. 01 44 78 47 99

4 Écris une carte postale de Paris.

Mention:

- what you have visited in Paris
- when you went there
- why you went there
- how you got there
- what you thought of it
- something else you have done and what it was like.

To aim for a higher level, include examples of the present tense, as well as the perfect tense.

En plus: Présent ou passé?

Lis rapidement le texte et trouve la bonne photo pour chaque paragraphe.

1 Je m'appelle Alyzée. J'habite à Rouen avec ma mère, mais je vais à Paris tous les weekends parce que mon père habite là-bas. Nous adorons tous les deux le foot et on est supporteurs de Paris Saint-Germain. Alors souvent, le samedi après-midi, on va au match du PSG, au stade du Parc des Princes.

2 Mais le weekend dernier, j'ai fait quelque chose de différent. Le samedi soir, mon père et moi sommes allés au concert de notre chanteur de rap préféré, Abd Al Malik, à la Cité de la musique. Le concert a commencé à huit heures et il a fini vers dix heures et demie. C'était vraiment génial et mon père, lui aussi, a beaucoup aimé la musique. On est rentrés tard et j'étais assez fatiguée, donc j'ai très bien dormi.

3 Puis hier, j'ai visité la Cité des sciences car j'ai une passion pour les sciences. J'ai vu une exposition sur les techniques des experts de la police. J'ai trouvé ça fascinant, mais mon père est resté à la maison parce qu'il pense que c'est ennuyeux.

4 Normalement, quand je vais à Paris, je prends aussi beaucoup de photos. J'adore surtout trouver des sujets marrants. Voici une photo de la statue qui s'appelle *L'Écoute*. À mon avis, c'est un peu bizarre, mais très intéressant. Tu n'es pas d'accord? D'habitude, qu'est-ce que tu fais le weekend?

Look for time expressions and tenses to spot whether someone is talking about the present or the past.

Present	**Past**
Time expressions	
d'habitude	*hier*
normalement	*samedi dernier*
souvent	*la semaine dernière*
quelquefois	*l'année dernière*
Tenses	
je visite	*j'ai visité*
je fais	*j'ai fait*
je vais	*je suis allé(e)*
je prends	*j'ai pris*
c'est	*c'était*

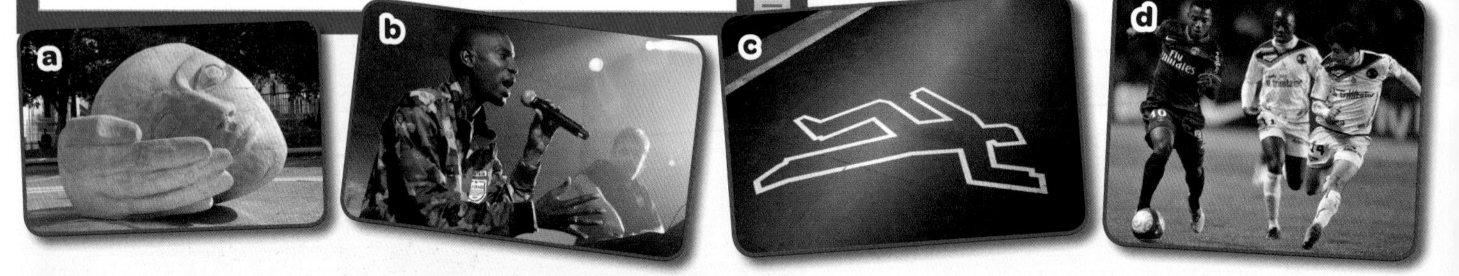

Relis le texte et décide si chaque paragraphe est au présent ou au passé.

Écoute. Ils parlent du présent, du passé ou des deux? (1–4)

Listen. Are they talking about the present, the past or both?

1 Mathilde **2** Akim **3** Coralie **4** Valentin

Écoute à nouveau. Copie et complète le tableau.

	Quand?	Les activités	Les opinions
1 Mathilde	weekend dernier	Paris, Centre Pompidou ...	C'...

5 ÉCRIRE

Écris un court paragraphe pour deux personnes de l'exercice 4.

Exemple:

1 Mathilde:
Le weekend dernier, je suis allée à Paris.
D'abord, je suis allée au Centre Pompidou.
Ensuite, j'ai ...

*For an extra challenge, write in the third person (**il/elle** and **ils/elles**)! For example:*

Le weekend dernier, Mathilde est allée à Paris. D'abord, elle est ... Ensuite, ...

6 PARLER

En tandem. Utilise les questions et les idées ci-dessous et fais un dialogue.

- ● *Tu vas souvent à Paris?*
- ■ *Oui, je vais à Paris tous les samedis.*
- ● *Qu'est-ce que tu fais quand tu vas à Paris?*
- ■ ...
- ● *Tu aimes Paris, alors?*
- ■ ...

- ● *Tu es allé(e) à Paris samedi dernier?*
- ■ ...
- ● *Qu'est-ce que tu as fait là-bas?*
- ■ ...
- ● *C'était comment?*
- ■ ...

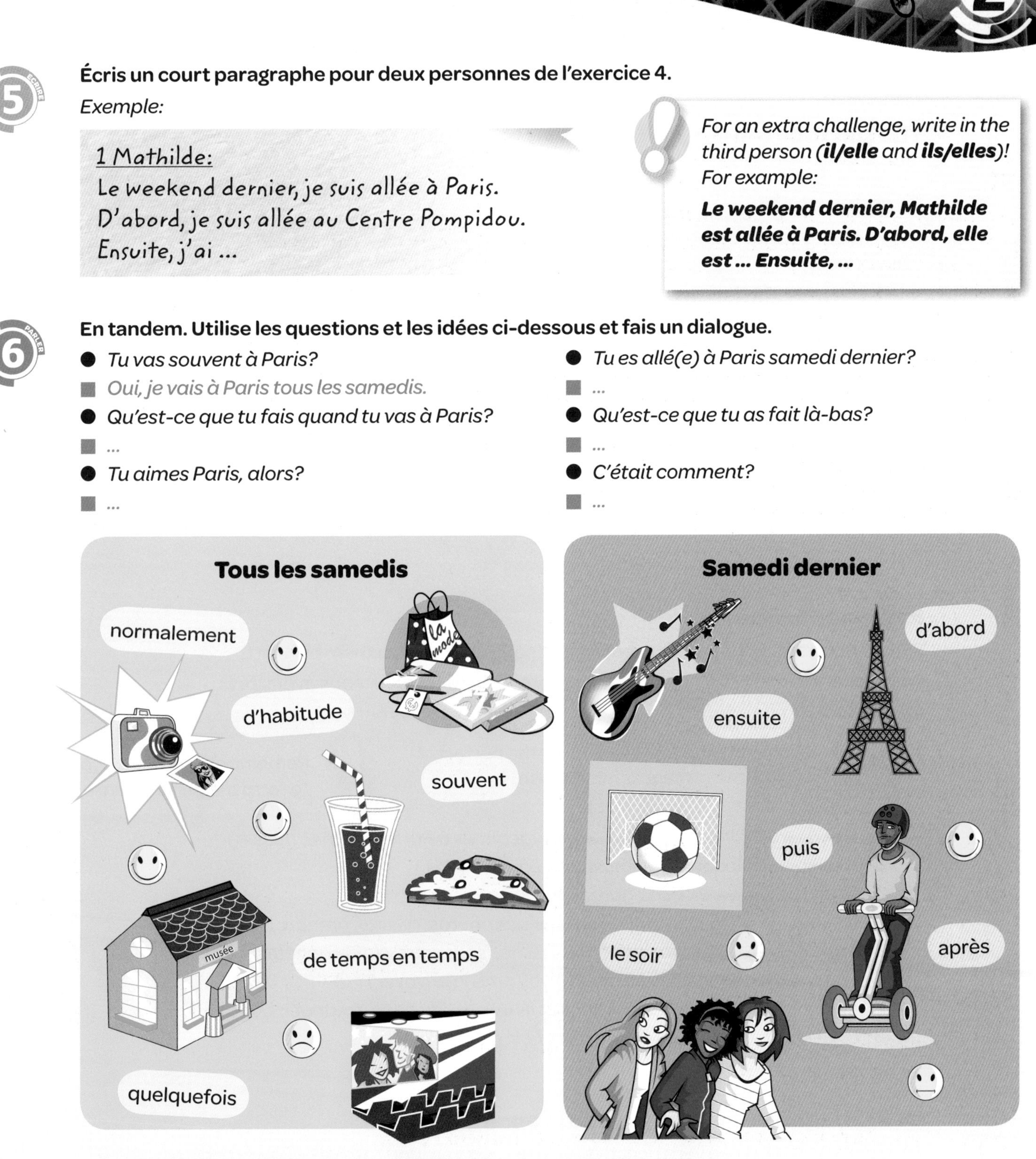

7 ÉCRIRE

Imagine que tu es une star! Tu habites à Paris, mais le weekend dernier, tu es allé(e) à New York. Écris ton blog.

Raise your level by including the following:

- verbs, time expressions and opinions to refer to the present <u>and</u> the past
- other parts of the verb as well as *je*: *on/nous, il/elle, ils/elles*
- connectives (*et, mais, ou, alors, donc, parce que, car, aussi*)
- sequencers (*d'abord, ensuite, puis, après, finalement*).

Studio Grammaire

The perfect tense

Regular verbs

- You use the perfect tense to say what you did or have done.
- To form the perfect tense, you need: **1** an auxiliary verb (usually part of the verb *avoir* – to have) and **2** the past participle of the main verb.
- You form the past participle of regular verbs as shown on the right.

j'ai
tu as
il/elle/on a
nous avons
vous avez
ils/elles ont

(e.g. *manger*) → *mangé*
(e.g. *finir*) → *fini*
(e.g. *attendre*) → *attendu*

1 Write out the six parts of each of these regular verbs in the perfect tense.
Example: *j'ai caché* (I hid/I have hidden)
tu as caché
il/elle ...

*cach**er*** (to hide) | *chois**ir*** (to choose) | *vend**re*** (to sell)

Irregular verbs

Some important verbs have **irregular** past participles. Learn them by heart!

boire (to drink) → *j'ai **bu***
faire (to do) → *elle a **fait***
prendre (to take) → *nous avons **pris***
voir (to see) → *ils ont **vu***

2 Copy and complete the sentences using the perfect tense. Translate the sentences into English.
Example: **1** J'ai gagné un concours! J'ai ...

Remember, you need two things to form the perfect tense!

1 *J'▬ ▬ un concours! J'▬ ▬ des vacances à Paris. (gagner, passer)*
2 *Tu ▬ ▬ la Joconde, au musée du Louvre? (voir)*
3 *Ma sœur ▬ ▬ un beau garçon français. (rencontrer)*
4 *On ▬ ▬ Notre-Dame et on ▬ ▬ des photos. (visiter, prendre)*
5 *Nous ▬ ▬ les magasins et j'▬ ▬ des souvenirs. (faire, acheter)*
6 *Vous ▬ ▬ des cartes postales à vos amis? (envoyer)*
7 *Au café, ils ▬ ▬ des sandwichs et ils ▬ ▬ du coca. (manger, boire)*
8 *Le 14 juillet, elles ▬ ▬ le feu d'artifice. (regarder)*

Using negatives in the perfect tense

To make a perfect tense verb negative, put ***ne ... pas*** around the part of *avoir* (or *être*).
J'ai fait les magasins. → *Je **n'**ai **pas** fait les magasins.*
Note: *un/une* and *du/de la/de l'/des* change to **de** after a negative:
*J'ai envoyé **une** carte postale à mes parents.* → *Je n'ai pas envoyé **de** carte postale à mes parents.*
*J'ai acheté **des** souvenirs.* → *Je n'ai pas acheté **de** souvenirs.*

3 Rewrite the sentences from exercise 2, making them negative.
Example: **1** Je n'ai pas gagné de concours! Je n'ai pas passé de vacances à Paris.

The perfect tense with *être*

With a small number of verbs (mostly verbs of movement), you use ***être***, not ***avoir***, to form the perfect tense. See the Verb tables on page 129 for a full list of these verbs.

You add an extra **–e** to the past participle in the feminine and an extra **–s** in the plural.

One female person: *je suis/tu es/elle est sortie.*

All male or mixed male/female group: *on est/nous sommes/ils sont partis.*

All female group: *on est/nous sommes/elles sont arrivées.*

4 Put the correct part of *être* in each gap and choose the correct form of the past participle. Then translate the phrases.

1. *je ▬ partie/partis*
2. *tu ▬ arrivé/arrivés*
3. *il ▬ sorti/sortie*
4. *elle ▬ resté/restée*
5. *nous ▬ allé/allés*
6. *ils ▬ partis/parties*
7. *elles ▬ sortis/sorties*

5 Copy and complete the postcard, using the perfect tense.

Asking questions in the perfect tense

You can ask some questions in the perfect tense by making your voice go up at the end of the sentence.

Tu es allé à Paris? – Did you go to Paris?

Another way is to put ***est-ce que*** at the beginning:

Est-ce que *tu es allé à Paris?* – Did you go to Paris?

Other questions need question words such as ***où*** (where), ***comment*** (how), ***qui*** (who), ***quand*** (when), ***à quelle heure*** (at what time) and ***combien*** (how much/how many).

> *Don't confuse **est-ce que** with **qu'est-ce que**, which means 'what':*
> ***Qu'est-ce que** tu as fait à Paris? –*
> *What did you do in Paris?*

6 Write the questions to go with these answers.

Example: **1** Tu es arrivé quand?

1. *Je suis arrivé hier.*
2. *Je suis parti à huit heures et demie.*
3. *Je suis allé à la tour Eiffel à pied.*
4. *Non, je n'ai pas visité Notre-Dame.*
5. *J'ai acheté un tee-shirt.*
6. *Je suis resté deux heures au Louvre.*
7. *Après, je suis allé au Centre Pompidou.*

Vocabulaire

À Paris • **In Paris**

J'ai gagné un concours.	*I won a competition.*
J'ai passé une semaine à Paris.	*I spent a week in Paris.*
J'ai visité la tour Eiffel.	*I visited the Eiffel Tower.*
J'ai mangé au restaurant.	*I ate in a restaurant.*
J'ai admiré la Pyramide du Louvre.	*I admired the Louvre Pyramid.*
J'ai regardé le feu d'artifice.	*I watched the fireworks.*
J'ai acheté des souvenirs.	*I bought some souvenirs.*
J'ai rencontré un beau garçon/une jolie fille.	*I met a good-looking boy/a pretty girl.*
J'ai envoyé des cartes postales.	*I sent some postcards.*
J'ai pris des photos.	*I took some photos.*
J'ai vu la *Joconde*.	*I saw the* Mona Lisa.
J'ai attendu le bus.	*I waited for the bus.*
J'ai très bien dormi.	*I slept very well.*
Je n'ai pas visité Notre-Dame.	*I didn't visit Notre-Dame.*
On a fait les magasins.	*We went shopping.*
On a bu un coca.	*We drank a cola.*
On a fait un tour de la ville en segway.	*We did a tour of the town by segway.*
On a fait une balade en bateau-mouche.	*We went on a boat trip.*

Quand? • **When?**

aujourd'hui	*today*
hier	*yesterday*
avant-hier	*the day before yesterday*
(mardi) dernier	*last (Tuesday)*

C'était comment? • **What was it like?**

C'était ...	*It was ...*
J'ai trouvé ça ...	*I found it ...*
bien	*good*
bizarre	*weird*
cool	*cool*
cher	*expensive*
effrayant	*scary*
ennuyeux	*boring*
fabuleux	*wonderful/fantastic*
génial	*great*
horrible	*horrible/terrible*
intéressant	*interesting*
marrant	*funny/a laugh*
nul	*rubbish*
Ce n'était pas mal.	*It wasn't bad.*

Des informations touristiques • **Tourist information**

horaires d'ouverture	*opening times*
ouvert du (mardi) au (dimanche)	*open from (Tuesday) to (Sunday)*
de 10h00 à 17h00	*from 10 a.m. to 5 p.m.*
fermé (le lundi et les jours fériés)	*closed (on Mondays and bank holidays)*
tarifs d'entrée	*admission prices*
plein tarif	*full price*
tarif jeune	*price for young people*
gratuit (pour les enfants jusqu'à 13 ans)	*free (for children up to 13 years old)*
visites guidées	*guided tours*
(pas de) toilettes	*(no) toilets*

Tu as voyagé comment? • **How did you travel?**

en avion	*by plane*
en bus	*by bus*
en car	*by coach*
en métro	*by underground*
en train	*by train*
en voiture	*by car*
à vélo	*by bicycle*
à pied	*on foot*

Un voyage • **A journey**

Je suis allé(e) (à Paris).	*I went (to Paris).*
Je suis parti(e)/arrivé(e) à (dix heures).	*I left/arrived at (ten o'clock).*
Le train est parti/arrivé à (huit heures).	*The train left/arrived at (eight o'clock).*
Je suis sorti(e).	*I went out.*
Je suis resté(e) (chez moi).	*I stayed (at home).*
Je suis rentré(e) (chez moi).	*I went/got home.*
Je suis monté(e).	*I went up.*

Qui a volé la *Joconde*? • **Who stole the *Mona Lisa*?**

Tu as visité le Louvre quand?	*When did you visit the Louvre?*
Tu es allé(e) avec qui?	*Who did you go with?*
Tu es allé(e) comment?	*How did you get there?*
Tu es arrivé(e)/parti(e) à quelle heure?	*At what time did you arrive/leave?*
Après, tu es allé(e) où?	*Afterwards, where did you go?*
Tu es resté(e) combien de temps?	*How long did you stay?*
Qu'est-ce que tu as fait?	*What did you do?*
Est-ce que tu as volé la *Joconde*?	*Did you steal the* Mona Lisa?

Les mots essentiels • ***High-frequency words***

à quelle heure?	*at what time?*
quand?	*when?*
combien?	*how much/how many?*
combien de temps?	*how long?*
comment?	*how?*
où?	*where?*
qui?	*who?*
avec qui?	*who with?*
alors	*so, therefore*
donc	*so, therefore*
car	*because*
parce que	*because*
dernier/dernière	*last*
beaucoup (de)	*a lot (of)*
d'abord	*first of all*
ensuite	*next*
après	*afterwards*
finalement	*finally*

Stratégie 2

Mnemonics

Can anyone help you learn the 13 "unlucky" verbs that use *être* to form the perfect tense?

Ms. Van der Tramp can. She's not actually a person, she's a mnemonic, a phrase consisting of the first letters of each of the verbs in question. In *Studio 1* you learnt how you can use mnemonics to help remember new words.

Look at the 13 verbs on page 129 and link them to all the letters in *Ms. Van der Tramp*. Or even better, make up your own mnemonic.

Turn to page 130 to remind yourself of the *Stratégies* you learned in *Studio 1*.

Module 3 Mon identité

The ten most widely spoken languages in the world are:

- **Arabic**
- **Bengali**
- **Chinese**
- **English**
- **German**
- **Hindi**
- **Japanese**
- **Portuguese**
- **Russian**
- **Spanish.**

Which languages have the most speakers? Can you put them in order of popularity?

Здравствуйте

السلام عليكم

こんにちは

¡Hola!

Bom dia

Guten Tag

Did you know that, like English, French is spoken on every continent in the world?

Which three of these sports do you think are most popular in France?

Which urban tribes can you name? Do you belong to an urban tribe?

RÉPUBLIQUE FRANÇAISE

CARTE NATIONALE D'IDENTITÉ N° :

Nationalité Française

DT Nom : DE PINHO

Prénom(s) : LILIANE

Sexe : F

Né(e) le : 16.04.1

à : CHÂLONS-SUR-MARNE

Taille : 1,62m

Signature du titulaire :

IDFRADE<PINHO<<<<<<<<<<<<<<<<<511015

In France, everyone has to carry a *carte d'identité*. Do you have one? Do you think it's a good idea?

1 Mon caractère

- Talking about personality
- Adjectival agreement

Écoute et lis l'interview.

- *Comment t'appelles-tu?*
- *Je m'appelle Noah et j'ai quatorze ans. J'habite ici à Marseille avec mes parents et ma petite sœur.*
- *Quelles sont tes qualités?*
- *Alors, je suis intelligent et je suis très gentil, vraiment très gentil. Je ne suis pas paresseux. Je suis assez drôle et je pense que je suis débrouillard.*
- *Et quels sont tes défauts?*
- *Voyons, euh ... Je suis un peu égoïste et je ne suis pas très patient.*
- *Quelles langues parles-tu?*
- *Je parle français et un peu créole.*
- *Tu passes des heures à faire quoi?*
- *Je passe des heures à écouter de la musique avec mes copains ou bien, nous jouons à des jeux vidéo. S'il fait beau, on va au parc jouer au foot.*
- *Tu parles de quoi avec tes copains?*
- *Alors, on parle de sport, de musique et quelquefois, de films.*
- *Parle-moi de ton meilleur ami.*
- *Mon meilleur ami, qui s'appelle Léo, est drôle mais un peu pessimiste par moments. Il adore les films de science-fiction et il a surtout une passion pour le rugby. Sa chanteuse préférée, c'est Beyoncé car il pense qu'elle chante et danse bien. Sinon, il aime le R'n'B, mais il n'aime pas beaucoup le hard rock. Moi non plus, d'ailleurs!*

débrouillard(e)	*resourceful*
je passe des heures à + infinitive	*I spend hours ...*

Accents can change the meaning of a word. Check your written work to make sure you include them.

ou *= or* ***où*** *= where*

a *= has* ***à*** *= at/to*

Corrige les deux erreurs dans chaque phrase.

1. Noah a quinze ans et il habite à Toulouse.
2. Noah est patient, mais il n'est pas drôle.
3. Il parle italien et un peu espagnol.
4. Il passe des heures à regarder la télé et à faire des quiz sur Internet.
5. Avec ses copains, il parle de mode et de télé.
6. Son meilleur ami est optimiste, mais il n'est pas drôle.

Trouve dans l'interview huit adjectifs pour décrire le caractère d'une personne. Écris la forme féminine des adjectifs.

Exemple: gentil → gentille (nice)

Écris quatre phrases pour décrire quatre de tes amis.

Exemple:

Ma copine Sasha est très patiente et elle n'est pas du tout paresseuse.

Studio Grammaire

Page 62

Make your adjectives agree with the person or thing they describe.

Many adjectives add **–e** in the feminine form and **–s** in the plural.

*Il est **patient**. Elle est **patiente**. Nous sommes **patients**.*

If the adjective ends in **–e** already, you don't need to add an **–e** to the feminine form.

Some adjectives follow a different pattern.

Singular		Plural	
Masculine	**Feminine**	**Masculine**	**Feminine**
paresseux	*paresseuse*	*paresseux*	*paresseuses*

5 **Écoute les interviews. Note cinq renseignements en anglais pour chaque personne. (1–3)**

1 Arthur **2** Laure **3** Jamel

> *Make sure you pronounce every syllable in French.*
> ***dé – brou – ill – ar – de***
> *Give your lips some gymnastics to do!*

6 **Écoute et répète.**

Une grenouille débrouillarde se débrouille toute seule dans le brouillard!

se débrouiller
to manage

7 **Interviewe quatre personnes dans ta classe. Pose les questions de l'exercice 1. Voici des réponses possibles.**

Je suis *Mon meilleur ami est* *Ma meilleure amie est*	*assez* *très*	*drôle/égoïste.* *gentil/gentille.* *paresseux/paresseuse.*
Je ne suis pas (du tout)		
Je parle *On parle*	*anglais/français/espagnol.*	
	de sport/mode/musique/foot/cinéma.	
Je passe des heures à	*écouter/parler avec .../rigoler/jouer/lire.*	

8 **Trouve les trois paires qui vont bien ensemble.**

Je ne suis pas du tout paresseux. J'aime les sciences et les gadgets. Je passe des heures en ligne.
Martin

Je suis curieuse. J'adore voyager et découvrir d'autres cultures. C'est fascinant. J'ai déjà visité le Brésil.
Kelly

Moi, je suis drôle. Je passe des heures à rigoler avec mes copains. On parle de musique, de films, de jeux vidéo.
Gabriel

Je parle français, arabe et espagnol. J'aime beaucoup partir en vacances.
Rabah

J'aime tout ce qui est informatique. Je passe des heures sur mon ordi et à surfer sur Internet. Hier, j'ai surfé pendant trois heures.
Nita

Je suis très sociable. J'aime le théâtre, mais j'ai horreur des arts martiaux. Je passe des heures à discuter avec les gens.
Camille

9 **Écris tes réponses à l'interview de l'exercice 1.**

> *Get into the habit of 'borrowing' good phrases that you could use to talk about yourself. Look through exercise 8 and find three phrases you can use in this way.*

2 On se dit tout

- *Talking about relationships*
- *Reflexive verbs*

Trouve la bonne légende pour chaque photo.

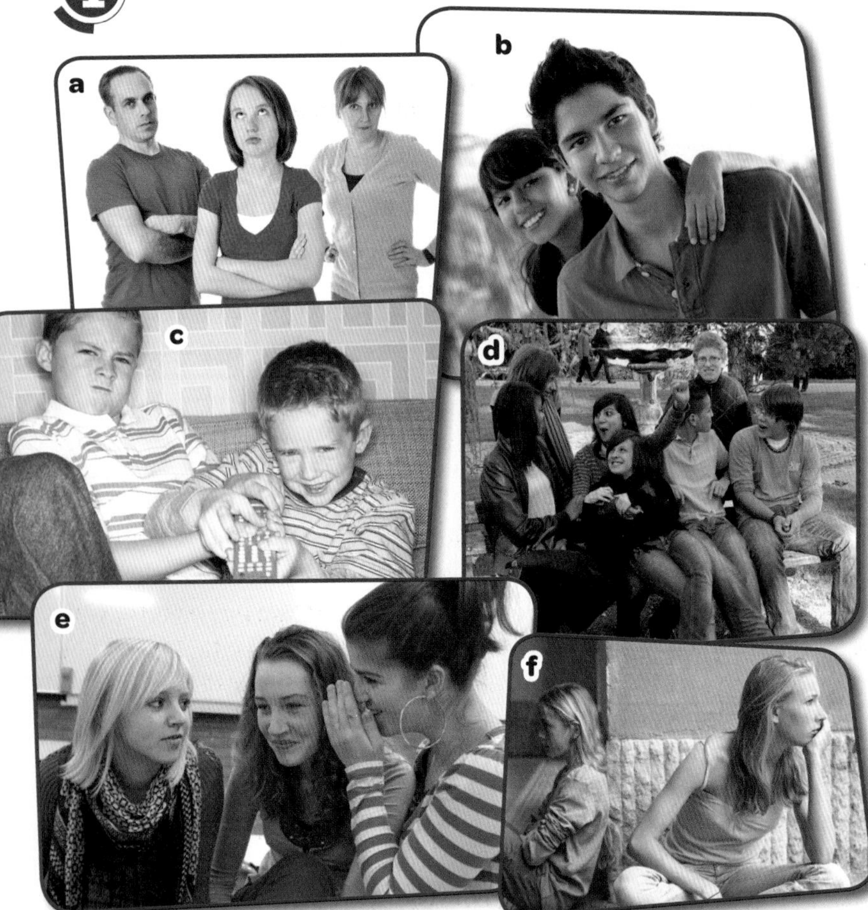

1 *Je m'entends très bien avec mon frère.*
Olivia

2 *Je me dispute souvent avec mes parents.*
Aurore

3 *Je m'amuse bien avec mes copains.*
David

4 *Je me chamaille avec mon demi-frère.*
Yanis

5 *Je me fâche avec ma petite sœur.*
Lara

6 *Avec mes copines, on se dit tout, on se confie des secrets.*
Élisa

Écoute et vérifie tes réponses. (1–6)

Écoute et écris la lettre de l'adjectif que tu entends. Cherche le sens dans le Mini-dictionnaire. (1–6)

a casse-pieds
b pénible
c rigolo(te)
d sympa
e adorable
f arrogant(e)

Studio Grammaire

Page 62

With reflexive verbs, you need to use an extra pronoun.

*je **me** fâche*	I get angry
*on **se** chamaille*	we squabble

If the verb begins with a vowel sound, the pronoun changes:

*je **m'**entends bien avec ...*	I get on well with ...
*on **s'**amuse*	we have fun

*se chamaill**er***	to squabble
*je **me** chamaill**e***	I squabble
*tu **te** chamaill**es***	you squabble
*il/elle/on **se** chamaill**e***	he/she squabbles/we squabble
*nous **nous** chamaill**ons***	we squabble
*vous **vous** chamaill**ez***	you squabble
*ils/elles **se** chamaill**ent***	they squabble

En tandem. Fais trois dialogues avec ton/ta camarade.

Exemple:

- *Tu t'entends bien avec ton frère?*
- *Non, je ne m'entends pas bien avec mon frère parce qu'il n'est pas très sympa.*

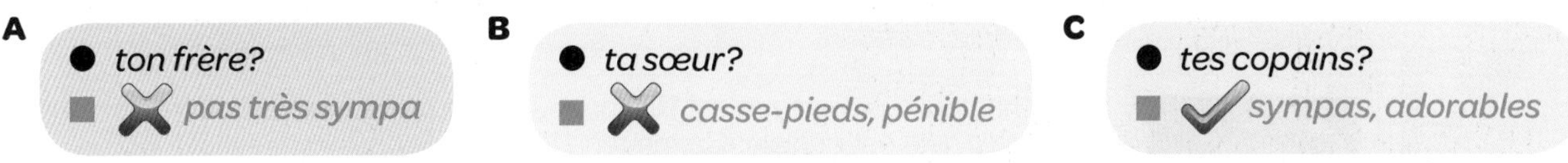

Possessive adjectives – the words for 'my', 'your', 'his/her', 'our' – are different according to whether the noun is masculine, feminine or plural.

my	***mon***	***frère***	***ma***	***sœur***	***mes***	***parents***
your	***ton***	***frère***	***ta***	***sœur***	***tes***	***parents***
our	***notre***	***frère***	***notre***	***sœur***	***nos***	***parents***

Trouve les paires de textes.

1. En général, je m'entends bien avec ma demi-sœur parce qu'elle est adorable et rigolote.
2. Je me fâche tous les jours avec mon petit frère. Il n'est pas sympa.
3. Je m'entends bien avec mon grand frère parce que nous sommes tous les deux sportifs.
4. Je ne m'entends pas bien avec mon grand frère. Il est paresseux.
5. J'ai de bons rapports avec mes parents. Ils sont super sympas.

a Tous les jours on joue au foot ensemble et on s'amuse bien. Hier, on a joué pendant trois heures.

b On se confie des secrets, on s'échange nos vêtements. Quand on se chamaille, on se réconcilie vite. On n'a pas le même père, mais ça n'a pas d'importance.

c On se dispute tout le temps car il est méchant et casse-pieds.

d On sort ensemble, on va au ciné ou en ville. L'année dernière, on est partis ensemble en vacances. C'était génial. En général, on s'entend très bien.

e Il ne fait rien à la maison et en plus, il prend mes affaires. Il est pénible.

Copie et remplis le tableau avec des mots de l'exercice 5.

le même	*the same*
rien	*nothing*

Adjectives describing personality	Reflexive verbs	Possessive adjectives	Perfect tense verbs
adorable			

Fais un sondage dans ta classe. Pose la question suivante.

Tu t'entends bien avec tes copains, en général? Pourquoi?

Écris un paragraphe positif et un paragraphe négatif sur tes rapports avec ta famille et tes copains.

Je m'entends bien avec ...
car il/elle est ...
car ils/elles sont ...
On se dispute rarement ...
On s'amuse bien ensemble ... On ...
Hier, on a ...

Je ne m'entends pas bien avec ...
parce qu'il/elle est ...
parce qu'ils/elles sont ...
On se dispute tout le temps ... On ...

3

Quelle musique écoutes-tu?

- *Talking about music*
- *Agreeing, disagreeing and giving reasons*

Écoute et lis. Qui parle? (1–6)

Exemple: **1** Pauline

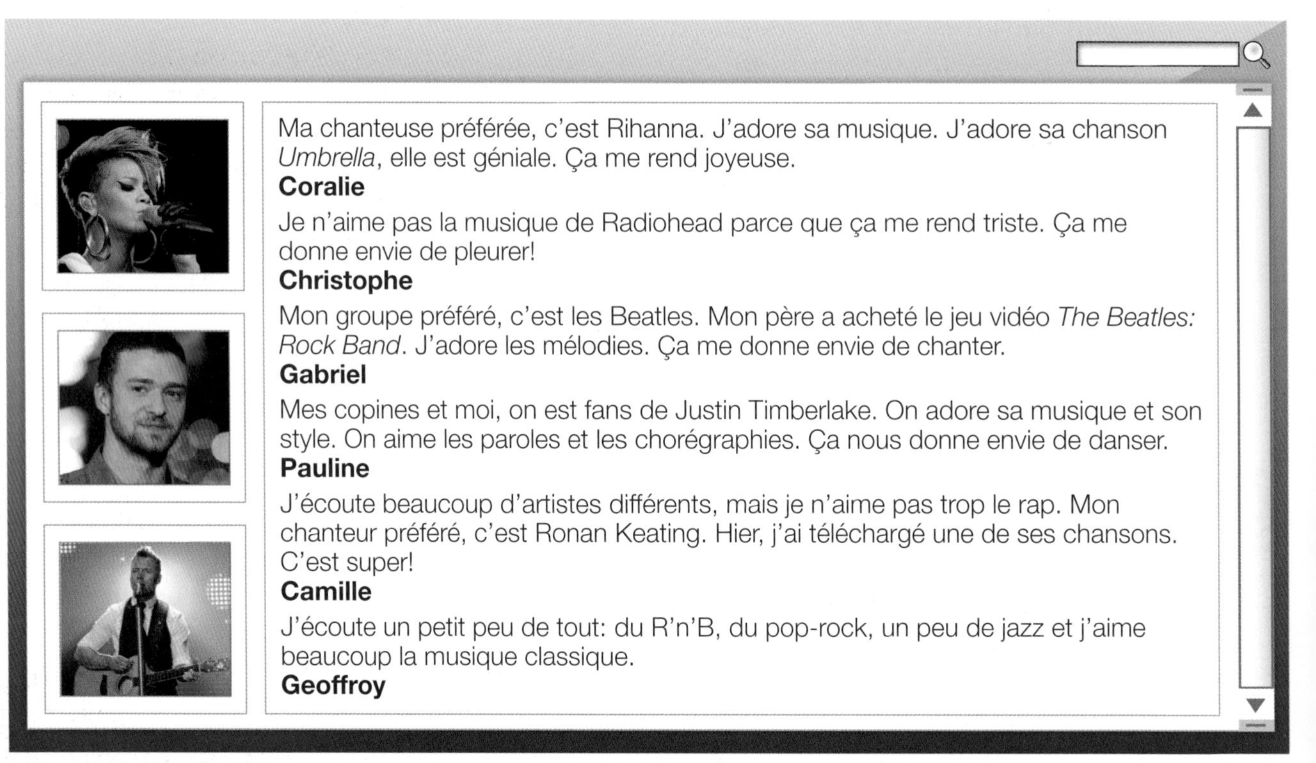

Ma chanteuse préférée, c'est Rihanna. J'adore sa musique. J'adore sa chanson *Umbrella*, elle est géniale. Ça me rend joyeuse.
Coralie

Je n'aime pas la musique de Radiohead parce que ça me rend triste. Ça me donne envie de pleurer!
Christophe

Mon groupe préféré, c'est les Beatles. Mon père a acheté le jeu vidéo *The Beatles: Rock Band*. J'adore les mélodies. Ça me donne envie de chanter.
Gabriel

Mes copines et moi, on est fans de Justin Timberlake. On adore sa musique et son style. On aime les paroles et les chorégraphies. Ça nous donne envie de danser.
Pauline

J'écoute beaucoup d'artistes différents, mais je n'aime pas trop le rap. Mon chanteur préféré, c'est Ronan Keating. Hier, j'ai téléchargé une de ses chansons. C'est super!
Camille

J'écoute un petit peu de tout: du R'n'B, du pop-rock, un peu de jazz et j'aime beaucoup la musique classique.
Geoffroy

Trouve ces expressions dans le texte de l'exercice 1.

1 I listen to a little bit of everything.
2 It makes us want to dance.
3 My favourite male singer is ...
4 We like the words.
5 I love her song ...
6 It makes me happy.
7 We are fans of ...
8 I love the tunes.

En tandem. Commente les opinions de l'exercice 1. Change les mots soulignés.

- *Tu es d'accord avec <u>Coralie</u>? Tu aimes <u>Rihanna</u>?*

✓
- *Oui, je suis d'accord.*
  J'adore la musique de ...
  Ça me rend joyeux/joyeuse./Ça me donne envie de danser/chanter.

✗
- *Non, je ne suis pas d'accord.*
  Je déteste la musique de ...
  Ça me rend triste./Ça me donne envie de pleurer/dormir.

Tu es d'accord avec ...?	Do you agree with ...?
Oui/Non, je (ne) suis (pas) d'accord avec ...	Yes/No, I (don't) agree with ...
J'aime/J'adore/Je déteste ...	I like/I love/I hate ...
Mon chanteur/groupe préféré, c'est ...	My favourite singer/group is ...
Ma chanteuse préférée, c'est ...	My favourite singer is ...
Ça me donne envie de ... (chanter/danser)	That makes me want to ... (sing/dance)
Ça me rend ... (joyeux/joyeuse/triste)	That makes me ... (happy/sad)

Choose three phrases from exercise 1 that you will use in your next piece of oral work, e.g. ***J'aime les paroles****. Write them out on sticky notes or in your exercise book and make good use of your phrases!*

Lis le texte. Quelles sont les trois phrases vraies?

Moi, j'écoute de la musique, tout le temps et partout. Je crois que la musique me définit. C'est ma passion. Mes amis et moi, on a les mêmes goûts, en général. On écoute du R'n'B et du rap. Avec mes copains, on s'envoie de la musique par Bluetooth. C'est pratique parce qu'on peut écouter beaucoup d'artistes différents. Je télécharge aussi beaucoup de musique. Hier, par exemple, j'ai téléchargé un album de Beck.

La musique, pour moi, c'est un moyen d'expression. Quand je suis triste, j'écoute de la musique. Quand je sors avec mes amis, on écoute de la musique et on s'éclate! La musique, c'est un truc sympa.

1. Valentin écoute de la musique, surtout le weekend.
2. Valentin et ses amis aiment le même genre de musique.
3. Valentin n'aime pas le rap.
4. Valentin joue dans un groupe avec ses amis.
5. Valentin écoute beaucoup d'artistes différents.
6. Quand Valentin n'est pas heureux, il écoute de la musique.

5 **Quelle musique écoutes-tu? Écris un paragraphe.**

Mon chanteur préféré, c'est … car j'aime les paroles/les mélodies.
Et j'aime aussi la musique de …
Ça me donne envie de danser/chanter. Ça me rend …
J'ai téléchargé … J'ai acheté …
Mais je n'aime pas du tout la musique de …
Et je déteste …
Ça me donne envie de … Ça me rend …

6 **Écoute et chante.**

Veux-tu venir (x 2)
Au concert? (x 2)

Qui vient avec nous? (x 2)
Qui c'est qui joue? (x 2)

Mon frère vient.
Ton frère vient?
Ma sœur aussi.
Ta sœur aussi?

C'est ma chanteuse
préférée (x 2)
Beyoncé. (x 2)

Tes parents viennent? (x 2)
Mais non, tu rigoles! (x 2)

Ça coûte combien? (x 2)
Je t'invite, donc rien! (x 2)

Alors, je viens. (x 2)
Ça va être bien! (x 2)

7 **Réécris la chanson. Change le nom de la chanteuse (ou du chanteur) et des personnes qui viennent au concert.**

Studio Grammaire

Learn the irregular verb *venir* by heart.

venir	to come
je viens	I come
tu viens	you come
il/elle/on vient	he/she comes/we come
nous venons	we come
vous venez	you come
ils/elles viennent	they come

4 Mon style

- *Talking about clothes*
- *The near future tense*

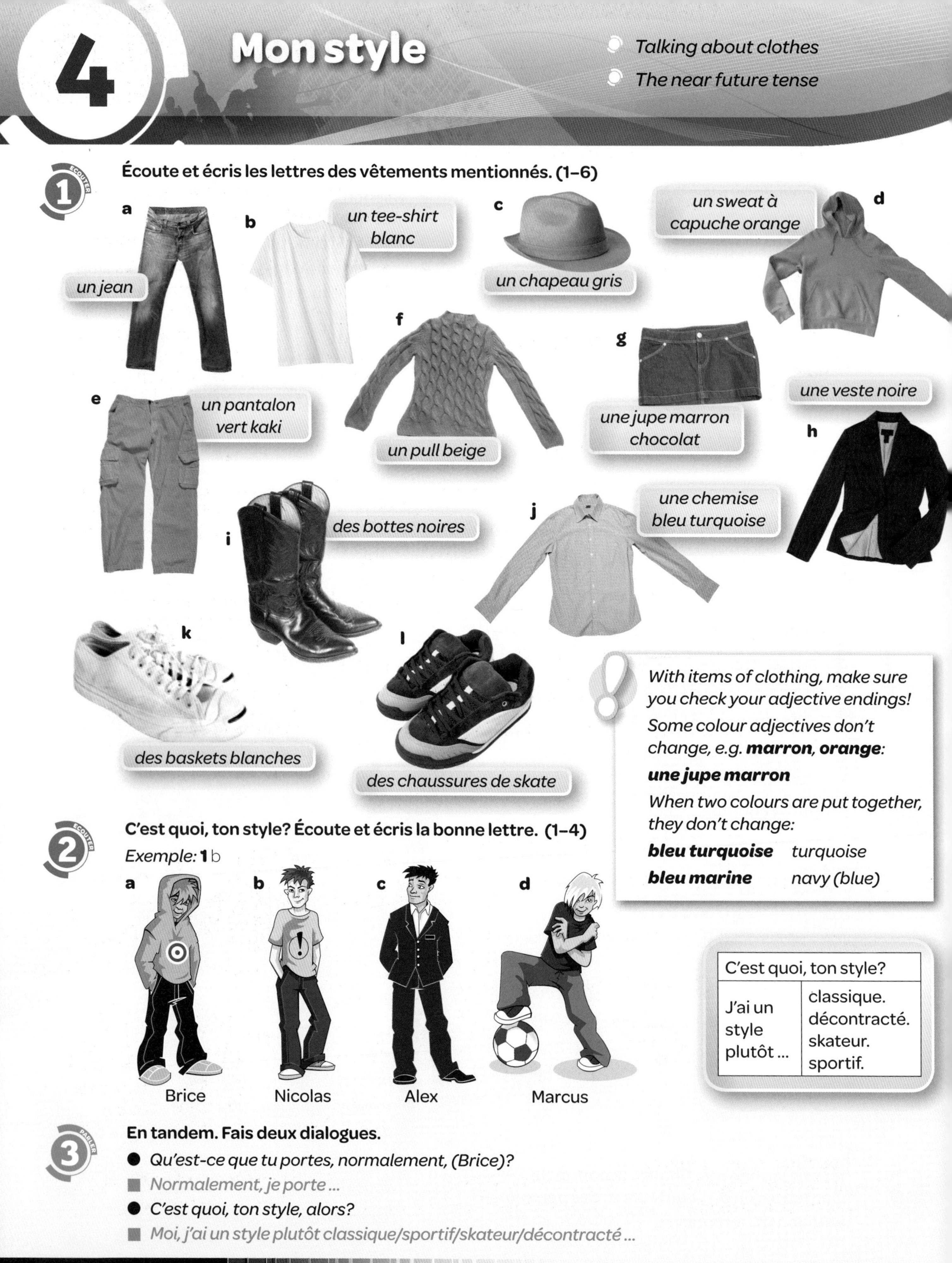

1 ÉCOUTER **Écoute et écris les lettres des vêtements mentionnés. (1–6)**

2 ÉCOUTER **C'est quoi, ton style? Écoute et écris la bonne lettre. (1–4)**

Exemple: **1** b

With items of clothing, make sure you check your adjective endings!

Some colour adjectives don't change, e.g. ***marron, orange****:*

une jupe marron

When two colours are put together, they don't change:

bleu turquoise *turquoise*

bleu marine *navy (blue)*

C'est quoi, ton style?	
J'ai un style plutôt ...	classique. décontracté. skateur. sportif.

3 PARLER **En tandem. Fais deux dialogues.**

- *Qu'est-ce que tu portes, normalement, (Brice)?*
- *Normalement, je porte ...*
- *C'est quoi, ton style, alors?*
- *Moi, j'ai un style plutôt classique/sportif/skateur/décontracté ...*

Écoute. Copie et remplis le tableau. (1–4)

1 Coline **2** Akai **3** Mélanie **4** Arthur

Qu'est-ce que tu vas faire? — *Je vais ...*

Qu'est-ce que tu vas porter? — *Je vais porter ...*

	Going to do?	Going to wear?
1 Coline		

Studio Grammaire » Page 63

You use the verb *aller* (to go) plus an infinitive to say what you are going to do. This is called the near future tense.

present tense		near future tense
je porte (I wear)	→	*je vais porter*
tu portes	→	*tu vas porter*
il/elle/on porte	→	*il/elle/on va porter*
nous portons	→	*nous allons porter*
vous portez	→	*vous allez porter*
ils/elles portent	→	*ils/elles vont porter*

Qui va porter quoi? Fais un choix logique.

Talia J'ai un style plutôt décontracté. Normalement, je porte un tee-shirt blanc et un jean slim avec un chapeau gris et des baskets, mais ce weekend, on va aller au restaurant ...

Renaud Mon style, c'est plutôt le style skateur. Normalement, je porte un pantalon large vert kaki et un sweat à capuche marron, mais ce weekend, on va aller à un mariage ...

Nicolette J'ai un style plutôt classique. Normalement, je porte une chemise blanche et une jupe noire, mais ce weekend, on va faire du VTT ...

a ... alors, je vais porter un pantalon noir, une chemise blanche, une veste, des chaussures noires et une cravate.

b ... alors, je vais porter un short bleu marine, un tee-shirt rouge et des baskets.

c ... alors, je vais porter une jupe bleu turquoise, des bottes noires et une veste noire.

Ouah! T'es chic! En tandem, fais des conversations.

- *Qu'est-ce que tu vas faire ce weekend?*
- ■ *Ce weekend, je vais ...*
- *Qu'est-ce que tu vas porter?*
- ■ *Je vais porter ...*
- ☹ *Non! C'est moche/horrible.*
  ☺ *Ouah! C'est cool/chic.*

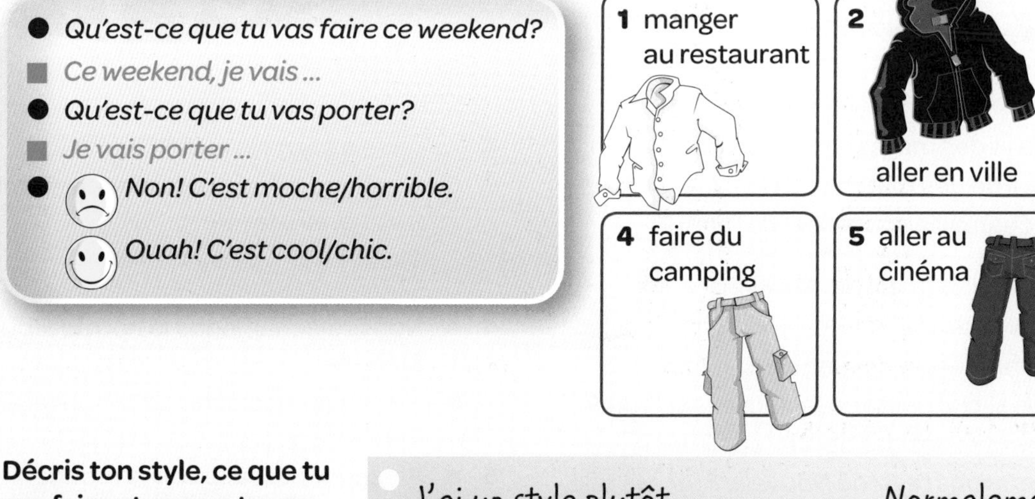

Décris ton style, ce que tu vas faire et ce que tu vas porter ce weekend.

J'ai un style plutôt ... *Normalement, je porte ...*
Mais ce weekend, on va ... *alors, je vais porter ...*

5 De quoi es-tu fan?

- Talking about your passion
- Past, present and future tenses

Écoute et lis le texte.

une écharpe	*a scarf*
un maillot	*a shirt/top*

Salut! Je m'appelle Clarissa et j'habite à Fontainebleau. Je suis drôle, intelligente, et je suis fan de foot! Je lis des magazines sur le foot, je lis des articles en ligne au sujet du foot et je passe des heures à parler de foot. Le foot, c'est ma vie! Mon frère Rémy et moi, on regarde ensemble des matchs à la télé.

Je m'entends très bien avec Rémy. On se dispute rarement parce qu'il est sympa. Je ne me chamaille jamais avec lui.

Le weekend dernier, nous avons regardé un très bon match: le PSG contre Auxerre. J'ai beaucoup aimé le match car il y a eu deux pénalties. Finalement, le PSG a gagné. On a mangé du popcorn, comme d'hab. C'était génial.

Mais ce weekend, on a beaucoup de chance parce qu'on va aller au Stade de France où on va regarder un match international: les Bleus contre l'Italie. Ouah! Ça va être cool. Je vais porter mon écharpe de l'équipe de France et Rémy va porter son maillot. Mon père va venir aussi. Qu'est-ce qu'on va s'amuser! Je suis impatiente!

Relis le texte et écris présent, passé ou futur pour chaque image.

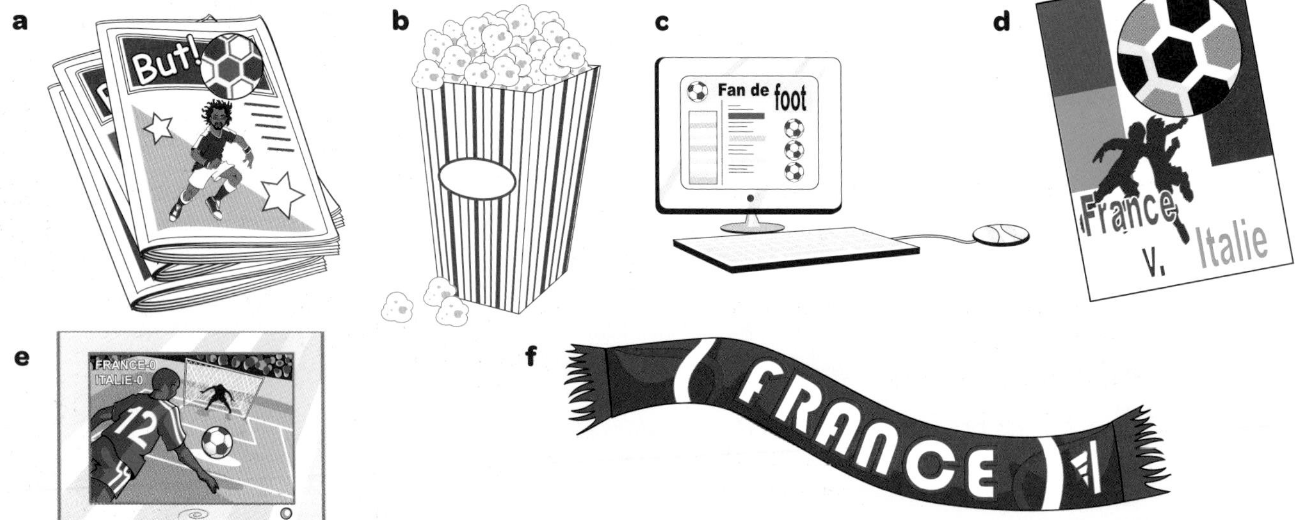

Trouve l'erreur dans chaque phrase.

1. Clarissa lit des magazines sur les jeux vidéo.
2. Elle regarde des matchs de foot sur l'ordi.
3. Elle se chamaille souvent avec Rémy.
4. Auxerre a gagné le match de foot.
5. Ce weekend, elle va regarder un match international à la télé.

Écoute et choisis la bonne phrase, a ou b.

1. **a** Noémi a dix-sept ans.
   b Noémi va avoir dix-sept ans.
2. **a** Nous allons passer des heures sur iTunes.
   b Nous passons des heures sur iTunes.
3. **a** Nous avons regardé *Nouvelle Star* à la télé.
   b Nous allons regarder *Nouvelle Star* à la télé.
4. **a** Nous téléchargeons le nouvel album de Rihanna.
   b Nous avons téléchargé le nouvel album de Rihanna.
5. **a** Alexandre est allé voir un concert avec Noémi et son cousin.
   b Alexandre va voir un concert avec Noémi et son cousin.

Écris les verbes du texte de l'exercice 1 dans la bonne colonne.

Passé composé	Présent	Futur

Studio Grammaire

Use different tenses and time expressions to talk about the past, present and future:

past	**present**	**future**
Hier, ...	Normalement, ...	Ce weekend, ...
La semaine dernière, ...	D'habitude, ...	Cet été, ...
j'ai regardé	je regarde	je vais regarder
j'ai dansé	je danse	je vais danser
je suis allé(e)	je vais	je vais aller
C'était ...	C'est ...	Ça va être ...

Pay attention to verb endings for the different tenses.

En tandem. Personne A: fais des phrases au passé, au présent ou au futur. Personne B: indique le temps de la phrase.

Exemple:

● *Ce weekend, je vais aller en ville.*

■ *C'est au futur!*

Normalement, ...

Hier, ...

Ce weekend, .../Cet été, ...

Prépare un exposé sur ta passion.

- Give your name and two adjectives to describe yourself.
  Je m'appelle ... Je suis ... et je pense que je suis ... aussi.
- Say what you are a fan of.
  Je suis fan de ...
- Say you get on well with your brother/sister and that they like your passion too.
  Je m'entends bien avec ...
  Il/Elle aime aussi ...
  Normalement, on ...
- Say what you did last weekend.
  Le weekend dernier, j'ai ...
  C'était ...
- Say what you are going to do this summer.
  Cet été, je vais ...
- Say what it is going to be like.
  Ça va être ...

What makes a good sentence?

Think about this in pairs, then report back to the class. Does the sentence give enough detail? Are connectives used? Are intensifiers used? Is it interesting?

8 **Écris un texte sur ta passion pour la page perso de ton blog.**

Bilan

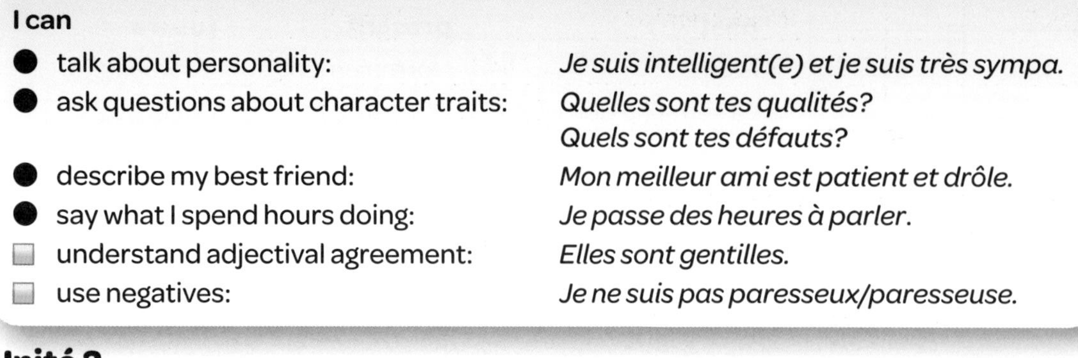

Unité 1

I can

- ● talk about personality: *Je suis intelligent(e) et je suis très sympa.*
- ● ask questions about character traits: *Quelles sont tes qualités? Quels sont tes défauts?*
- ● describe my best friend: *Mon meilleur ami est patient et drôle.*
- ● say what I spend hours doing: *Je passe des heures à parler.*
- ☐ understand adjectival agreement: *Elles sont gentilles.*
- ☐ use negatives: *Je ne suis pas paresseux/paresseuse.*

Unité 2

I can

- ● talk about relationships: *Je me fâche tous les jours avec mon frère.*
- ● justify my opinions: *En général, je m'entends bien avec ma demi-sœur parce qu'elle est adorable.*
- ☐ use reflexive verbs: *On se chamaille de temps en temps.*
- ☐ use possessive adjectives: *nos parents/ma sœur/ton frère*

Unité 3

I can

- ● say what music/singers I like and dislike: *Ma chanteuse préférée, c'est Beyoncé.*
- ● give a reason for my opinions: *... parce que j'adore les mélodies.*
- ☐ use two tenses together: *Mon chanteur préféré, c'est Ronan Keating. Hier, j'ai téléchargé une de ses chansons.*
- ☐ use the verb *venir*: *Ma sœur vient./Tu viens avec nous?*

Unité 4

I can

- ● say what I normally wear: *Normalement, je porte un jean bleu.*
- ● say what I am going to do: *Je vais aller au cinéma avec mes copines.*
- ☐ make adjectives agree: *Je porte toujours des baskets blanches.*
- ☐ use invariable adjectives: *bleu turquoise, bleu marine, marron*
- ☐ use the near future tense: *Je vais porter l'écharpe de mon club.*

Unité 5

I can

- ● talk about my passion: *Je passe des heures à parler de foot.*
- ☐ use different subjects: *On va aller au Stade de France. Je vais porter mon écharpe.*
- ☐ use three tenses together: *Hier soir, nous avons regardé* Nouvelle Star. *J'adore la musique de Rihanna. Cet été, nous allons voir un concert.*

Écoute. Copie et complète le tableau en anglais. (1–6)

	Who?	Relationship?	Why?
1	half sister	gets on well	nice
2			

En tandem. Utilise les images et fais des dialogues.

● *Qu'est-ce que tu vas faire ce weekend? Qu'est-ce que tu vas porter?*

■ *Ce weekend, je vais ... et je vais porter ...*

● *Ouah, c'est cool!/Non, c'est moche!*

Lis l'e-mail de Jordy. Choisis les bons mots pour compléter chaque phrase.

Moi, j'adore la musique. J'écoute un petit peu de tout: du métal, du jazz, du pop-rock. Mais je n'aime pas beaucoup la musique classique. Je joue de la guitare dans un groupe, mais je n'ai pas beaucoup de talent.

Je m'entends bien avec mon frère. Il joue de la batterie aussi dans le groupe. On se chamaille de temps en temps, mais on se réconcilie toujours très vite après. Il est sympa et très drôle.

Nous allons ensemble à des concerts et nous passons des heures à jouer de la guitare dans sa chambre. Hier, nous avons joué pendant trois heures.

Ce weekend, on va aller au concert de Metallica. On va chanter et danser. On va s'amuser!

Jordy

1. Jordy adore/n'aime pas la musique classique.
2. Jordy joue de la guitare/de la batterie.
3. Jordy se dispute tout le temps/quelquefois avec son frère.
4. Ils vont à des concerts/en ville ensemble.
5. Hier, ils ont écouté/fait de la musique pendant trois heures.
6. Ce weekend, ils vont aller/ils sont allés au concert de Metallica.

Écris un paragraphe sur ton meilleur ami/ta meilleure amie.

- Say what your best friend is like.
- Say how you get on with your best friend.
- Say what you did together last weekend.
- Say what you are going to do together next weekend.

En plus: L'identité régionale

Écoute et regarde les cartes d'identité.

A

L'Alsace

le costume traditionnel pour les femmes:	un tablier, une jupe noire, une coiffe noire
pour les hommes:	un gilet rouge, un chapeau noir, un pantalon noir
la langue:	l'alsacien
le plat typique:	la choucroute
un événement traditionnel:	les marchés de Noël
le symbole de la région:	la cigogne

B

La Bretagne

le costume traditionnel pour les femmes:	une robe, un tablier, une coiffe
pour les hommes:	un pantalon, un gilet, un chapeau noir, des bottes de cuir
la langue:	le breton
les plats typiques:	les crêpes et les galettes
un événement traditionnel:	le fest-noz (une sorte de soirée dansante)
le sport traditionnel:	le gouren (une sorte de lutte)
le symbole de la région:	l'hermine

Fais correspondre le français et l'anglais.

1 Est-ce qu'il y a un costume traditionnel?
2 On parle quelle langue?
3 Quel est le plat typique?
4 Est-ce qu'il y a un événement traditionnel?
5 Est-ce qu'il y a un sport traditionnel?
6 Quel est le symbole de la région?

a Is there a traditional sport?
b What is the typical dish?
c What is the symbol of the region?
d Is there a traditional event?
e What language do they speak?
f Is there a traditional costume?

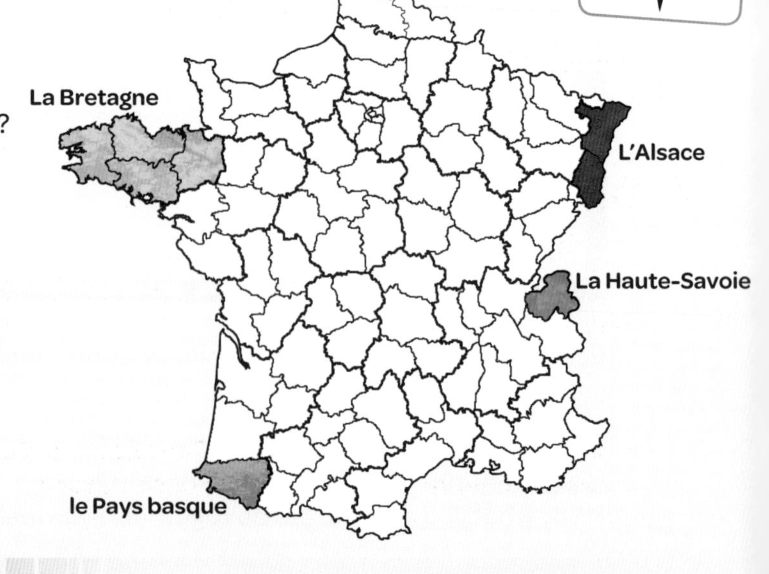

En tandem. Fais une conversation sur la Haute-Savoie. Utilise les questions de l'exercice 2.

La Haute-Savoie

le costume traditionnel pour les femmes:	une petite coiffe de coton, une robe noire, un châle, un tablier
pour les hommes:	une veste écrue, un gilet long, une culotte écrue
la langue:	le savoyard
le plat typique:	la fondue savoyarde
un événement traditionnel:	les feux du 15 août
le sport traditionnel:	le ski
le symbole de la région:	le blason savoyard

Lis le texte et termine les phrases en anglais.

L'année dernière, au mois de décembre, j'ai visité l'Alsace. Je suis allée à un marché de Noël où j'ai acheté des décorations et des cadeaux pour ma famille. J'ai mangé une choucroute au restaurant. La choucroute, c'est le plat typique de la région. C'était délicieux!
J'ai vu beaucoup de choses en Alsace. J'ai vu des femmes avec la coiffe alsacienne, par exemple, mais malheureusement, je n'ai pas vu de cigognes. Dommage! La cigogne est le symbole de la région.
Cet été, je vais visiter la Bretagne. Ça va être super!
Talia

1. Talia visited Alsace in ...
2. At the Christmas market, she ...
3. At the restaurant, she ate ...
4. She saw ...
5. Unfortunately, she didn't see ...
6. This summer ...

Dommage! *What a pity!*

5 Prépare un exposé oral sur le Pays basque.

J'ai fait des recherches sur les traditions au Pays basque.
D'abord, je vais parler du costume traditionnel.
Par exemple, les femmes portent ... et les hommes portent ...
Au Pays basque, on parle ...
..., c'est un plat typique du Pays basque.
Au Pays basque, ... est un événement traditionnel.
Comme sport traditionnel, on peut jouer ...
Le symbole de la région, c'est ...

Le Pays basque

le costume traditionnel pour les femmes:	une coiffe en forme de corne, une robe en laine, un tablier, un châle
pour les hommes:	un pantalon blanc, un gilet noir, un béret rouge, des espadrilles, une large ceinture rouge
la langue:	le basque
le plat typique:	la piperade
un événement traditionnel:	la corrida
le sport traditionnel:	la pelote
le symbole de la région:	la croix basque

6 L'année dernière, tu as visité le Pays basque. Écris un paragraphe sur ta visite. Utilise le texte de l'exercice 4 comme modèle.

Studio Grammaire

Adjectives

Make your adjectives agree with the person or thing they describe.

Many adjectives add **-e** in the feminine form and **-s** in the plural.

Il est arrogant. *Elle est arrogant**e**.* *Nous sommes arrogant**s**.*

If the adjective ends in **-e** already, you don't need to add an **-e** to the feminine form.

Simon est drôle. Lara est drôle.

Some adjectives follow a different pattern.

gentil/gentille *paresseux/paresseuse*

Some colour adjectives are invariable – that means they don't change, e.g. *marron, orange.*

une jupe marron

When colours are made into compound adjectives (two adjectives used together), they also become invariable.

bleu turquoise turquoise *bleu marine* navy (blue)

une robe bleu marine

1 Write the correct form of the adjectives in brackets.

Ce soir, je vais sortir et je vais porter une chemise 1 (*noir*), un jean 2 (*bleu*), une écharpe 3 (*vert*) et un chapeau 4 (*marron*). Ma copine Céline, qui est très 5 (*gentil*), va venir avec moi. Elle va porter une jupe 6 (*bleu*), un tee-shirt 7 (*rose*) et des bottes 8 (*gris*). Ça va être super!

Reflexive verbs

With reflexive verbs, you need to use an extra part: a reflexive pronoun. (See the Verb tables on page 128.) Reflexive verbs are often actions you do to yourself.

je me douche	I have a shower
*tu t'habilles**	you get dressed
il/elle se prépare	he/she gets ready

* If the verb begins with a vowel or a silent 'h', you need to use an apostrophe.

2 Choose the correct version of each verb.

1. *Tu t'entend/t'entends bien avec ton frère?*
2. *Il se disputent/se dispute souvent avec ses parents.*
3. *Je m'amuse/t'amuse bien avec mes copains.*
4. *Nous chamaillons/nous chamaillons souvent.*
5. *Elle se fâche/se fâcher avec sa petite sœur.*

3 Rewrite the text using the correct form of the verb in brackets.

Je vais parler de ma meilleure amie. On ne se dispute jamais. Je 1 (*s'entendre*) très, très bien avec elle. Nous 2 (*se chamailler*) rarement. Et quand on 3 (*se chamailler*), on 4 (*se réconcilier*) très vite après. C'est bien, ça.
Je 5 (*s'amuser*) avec elle, c'est l'essentiel! Et toi, tu 6 (*s'entendre*) bien avec tes amis?

Possessive adjectives

Possessive adjectives are the words for 'my', 'your', 'his/her', 'our'. They are different according to whether the noun they refer to is masculine, feminine or plural.

Masculine	**Feminine**	**Plural**	
mon	*ma*	*mes*	my
ton	*ta*	*tes*	your
son	*sa*	*ses*	his/her
notre	*notre*	*nos*	our

4 Choose the correct possessive adjective, then translate the sentences into English.

1. *Ma/Mon sœur est arrogante, mais ma/mon frère est adorable.*
2. *Notre/Nos amis sont sympas.*
3. *Mes/Mon parents sont pénibles, mais ton/tes parents sont amusants.*
4. *Tu as oublié son/ton manteau?*
5. *Son/Ses amis sont adorables et drôles.*

The near future tense

You use the verb *aller* (to go) plus an infinitive to say what you are going to do.

5 Choose the correct verbs to fill in the gaps.

Ce weekend, ① ▬ *du shopping avec mes copines et le soir,* ② ▬ *au restaurant.* ③ ▬ *du karaoké parce que mes copines adorent ça. Le dimanche,* ④ ▬ *un spectacle au théâtre avec ma famille.* ⑤ ▬ *une robe bleu turquoise.* ⑥ ▬, *je crois. Et vous, qu'est-ce que* ⑦ ▬?

nous allons manger | on va s'amuser | vous allez faire | on va faire | je vais porter | je vais faire | je vais voir

6 Unjumble these sentences and write them out.

1. *faire Qu'est-ce vas weekend ce tu que ?*
2. *vais au et restaurant je weekend, porter Ce une veste manger je noire vais .*
3. *je camping et vais weekend, porter Ce un je sweat à capuche vais faire du .*
4. *porter Qu'est-ce vas que tu ?*
5. *jean à la aller et je je vais vais weekend, porter un Ce patinoire .*
6. *rando la de et je faire vais Ce porter weekend, un short vais je .*

7 Translate this paragraph into French.

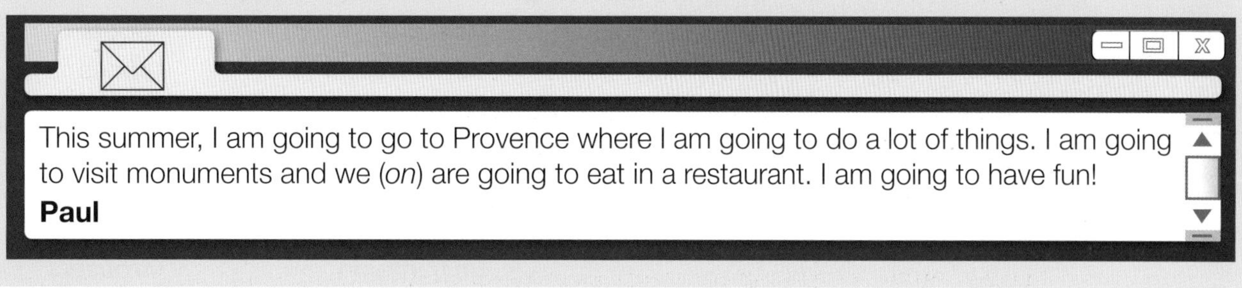
This summer, I am going to go to Provence where I am going to do a lot of things. I am going to visit monuments and we (*on*) are going to eat in a restaurant. I am going to have fun!
Paul

Vocabulaire

Mon caractère • My character

Je suis ...	*I am ...*
Je pense que je suis ...	*I think I'm ...*
Je ne suis pas ...	*I'm not ...*
Je ne suis pas du tout ...	*I'm not at all ...*
Mon meilleur ami/Ma meilleure amie est ...	*My best friend is ...*
adorable	*adorable*
arrogant(e)	*arrogant*
amusant(e)	*funny*
casse-pieds	*annoying*
curieux/curieuse	*curious*
débrouillard(e)	*resourceful*
drôle	*funny*
égoïste	*selfish*
gentil(le)	*nice*
intelligent(e)	*intelligent*
optimiste	*optimistic*
paresseux/paresseuse	*lazy*
patient(e)	*patient*
pénible	*annoying*
pessimiste	*pessimistic*
rigolo(te)	*funny*
sociable	*sociable*
sympa	*nice*

Les rapports • Relationships

s'amuser	*to have fun*
se chamailler	*to squabble*
se confier des secrets	*to tell each other secrets*
se dire	*to tell each other*
se disputer	*to argue*
s'entendre	*to get on*
se fâcher	*to get angry*

Les opinions • Opinions

Mon chanteur/ma chanteuse préféré(e), c'est ...	*My favourite singer is ...*
Mon groupe préféré, c'est ...	*My favourite group is ...*
J'adore/Je déteste la musique de X.	*I love/I hate X's music.*
J'adore la chanson ...	*I love the song ...*
Ça me donne envie de ...	*It makes me want to ...*
danser/chanter/pleurer/dormir	*dance/sing/cry/sleep*
Ça me rend joyeux/joyeuse/triste.	*It makes me happy/sad.*

La musique • Music

le hard rock	*hard rock*
le jazz	*jazz*
la musique classique	*classical music*
le pop-rock	*pop*
le rap	*rap*
le R'n'B	*R'n'B*
un peu de tout	*a bit of everything*
les chorégraphies	*choreography*
les mélodies	*tunes*
les paroles	*words*

Les vêtements • Clothes

Normalement, je porte ...	*Normally, I wear ...*
des baskets	*trainers*
des bottes	*boots*
des chaussures	*shoes*
une chemise	*a shirt*
un chapeau	*a hat*
un jean	*jeans*
une jupe	*a skirt*
un pantalon	*trousers*
un pull	*a jumper*
un sweat à capuche	*a hoodie*
un tee-shirt	*a T-shirt*
une veste	*a jacket*

Les couleurs • Colours

beige	*beige*
blanc(he)	*white*
bleu turquoise	*turquoise*
gris(e)	*grey*
marron chocolat	*chocolate brown*
noir(e)	*black*
orange	*orange*
vert kaki	*khaki*

Le style • Style

J'ai un style plutôt ...	*My style is rather ...*
classique	*classic*
décontracté	*relaxed*
skateur	*skater*
sportif	*sporty*
C'est ...	*It's ...*
moche	*ugly*
horrible	*horrible*
cool	*cool*
chic	*chic*

Au futur • In the future

Qu'est-ce que tu vas faire/porter?	*What are you going to do/wear?*
ce weekend	*this weekend*
cet été	*this summer*

Les interjections • Interjections

alors	*so*
ben	*well*
euh	*huh*
ouah!	*wow!*
voyons	*let's see*

Les mots essentiels • *High-frequency words*

avec	*with*
bien	*well*
comme d'hab	*as usual*
en général	*in general*
en plus	*in addition*
ensemble	*together*
même	*same*
normalement	*normally*
ou	*or*
par moments	*at times*
partout	*everywhere*
plutôt	*rather*
quand	*when*
sinon	*otherwise*
surtout	*especially*
souvent	*often*
tout(e)	*all, every*
tout le temps	*all the time*
vraiment	*really*

Stratégie 3

Faux amis

Cognates and near-cognates are words that are spelled exactly the same or nearly the same as English words and have the same meaning in French. But you must be careful – there are some French words that look like cognates but which mean something completely different. These are known as ***faux amis*** (false friends).

Look at the word lists on these pages. What do these French words mean in English?

porter *veste*

Now look at the word lists again and find one piece of clothing and one type of shoes which are also *faux amis*.

Turn to page 130 to remind yourself of the *Stratégies* you learned in *Studio 1*.

Module 4 Chez moi, chez toi

People's homes look very different in various parts of the French-speaking world. Which of these would you like to live in and why? Why do you think many French houses have shutters on the windows?

A chalet in the French Alps

Apartments in Paris

A cabin in Île de la Réunion, in the Indian Ocean

A troglodyte dwelling in Tunisia

French people don't eat snails and frogs' legs all the time! You can buy snails in some restaurants – but remember that you can buy things like cockles and whelks in Britain. Frogs' legs are a delicacy – most French people have never tried them.

Bread is very important in France. Even small villages often have a *boulangerie* (baker's shop). French people like to buy a fresh *baguette* or another type of loaf every day. Have you ever tried French bread?

The French love pancakes! They even have special restaurants, called *crêperies*, which serve only pancakes (savoury and sweet). It is traditional to drink cider (*du cidre*) with pancakes – if you're old enough! What would be your dream pancake filling?

Mardi Gras in February is carnival time. The most famous French carnival is in Nice, and it goes on for two weeks. It includes a parade with lots of floats carrying moving figures with huge heads. There is also a flower battle, in which flowers are thrown at the spectators! Do you know of any other famous carnivals around the world?

FRANCE

Nice

1 Là où j'habite

- *Describing where you live*
- *Comparative adjectives*

Écoute et lis.

Salut! Je m'appelle Lucas. J'habite dans une petite rue dans une grande ville qui s'appelle Reims, dans le nord de la France. J'aime bien habiter ici. J'habite avec ma mère et mon petit frère. On a un appartement moderne dans une vieille maison. C'est un bel appartement confortable, alors je suis très content d'habiter ici.

Mon copain Malik a déménagé la semaine dernière. Il habite maintenant à la campagne, dans un joli petit village. Sa nouvelle maison est plus grande et plus belle que mon appart', mais il dit qu'il n'aime pas habiter là-bas parce que c'est trop tranquille.

C'est comment, chez toi?

il a déménagé *he moved house*

Studio Grammaire

» Page 82

The following adjectives are irregular. They have a special form when followed by a masculine noun beginning with a vowel or a silent **h**.

	Masculine	Feminine	Masculine before vowel or silent 'h'
beautiful	*beau*	*belle*	*bel*
old	*vieux*	*vieille*	*vieil*
new	*nouveau*	*nouvelle*	*nouvel*

These adjectives come **before** the noun they describe. So do *grand*, *petit*, *gros* and *joli*, but most other adjectives go **after** the noun.

Trouve et traduis les noms et les adjectifs dans le texte de l'exercice 1.

Find and translate:

- five nouns with one adjective in front of them
- one noun with two adjectives in front of it
- one noun with one adjective after it
- one noun with one adjective in front and one after it.

Exemple: une petite rue – a small street

Écoute et répète.

un petit village, une peti**te** ville,
un peti**t a**ppartement, une peti**te** maison
un grand village, une gran**de** ville,
un gran**d a**ppartement, une gran**de** maison

The final 't' or 'd' on a word is usually silent, except when:

- *it is followed by 'e' (e.g.* ***grande, petite****)*
- *the next word begins with a vowel or silent 'h' (e.g.* ***petit appartement****).*

En tandem. Jeu de mémoire. Pose des questions à tour de rôle.

Exemple: **1**

● *Lucas habite dans une grande rue ou une petite rue?*

■ *Il habite dans une petite rue.*

1. Lucas habite dans une grande rue ou une petite rue?
2. Il habite dans une grande ville ou une petite ville?
3. Il habite dans une maison moderne ou une vieille maison?
4. Il habite dans un vieil appartement ou un appartement moderne?
5. Malik habite dans un grand village ou un petit village?
6. Il habite dans une belle maison ou une maison horrible?

5 Trouve le bon texte pour chaque section de la bande dessinée.

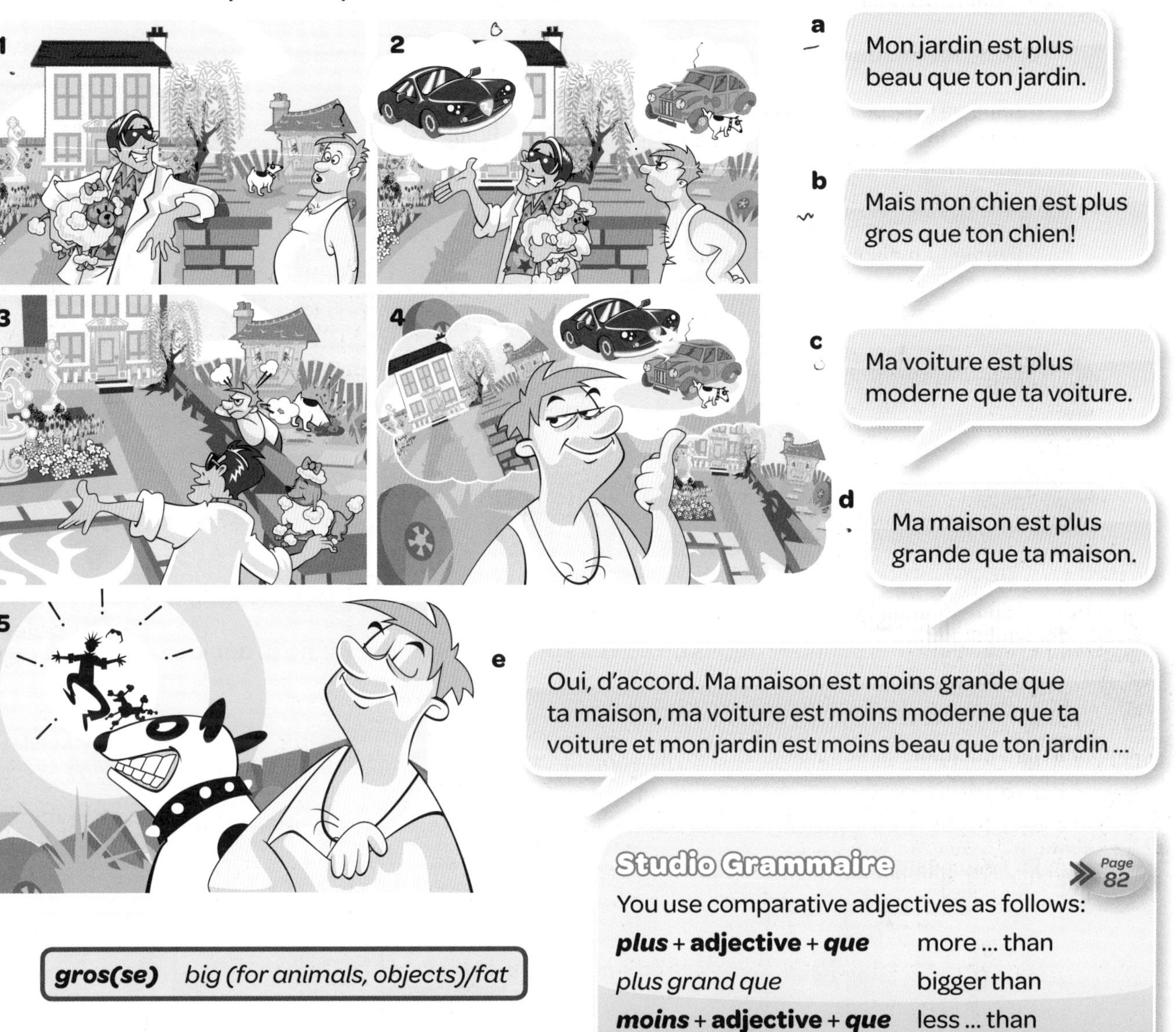

gros(se) *big (for animals, objects)/fat*

Studio Grammaire

» Page 82

You use comparative adjectives as follows:

plus + **adjective** + ***que***	more … than
plus grand que	bigger than
moins + **adjective** + ***que***	less … than
moins joli que	less pretty than **or** not as pretty as

6 Écoute et vérifie.

7 Écris un sketch comique entre deux célébrités rivales. Utilise les idées du tableau ou tes propres idées.

Write a comic sketch between two rival celebrities. Use the ideas in the box or your own ideas.

Exemple:

- *J'habite une très belle maison. Ma maison est plus belle que ta maison.*
- *Oui, d'accord. Ma maison est moins belle que ta maison, mais j'ai un beau jardin.*
- *Mon jardin est plus … que …*

Mon	*appartement* *chat* *chien* *jardin*	*est*	*plus* *moins*	*grand(e)* *petit(e)* *joli(e)* *moderne* *confortable* *vieux/vieille* *beau/belle* *gros(se)* *cool*	*que*	*ton …*
Ma	*maison* *piscine* *voiture*					*ta …*

2 Dans mon appart'

- *Describing your home*
- *Prepositions*

1 ÉCOUTER **Lucas décrit son appartement. Écoute et mets les photos dans le bon ordre.**

2 PARLER **En tandem. Personne A: décris un de ces appartements. Personne B: décide si c'est A, B ou C.**

Exemple:

- *C'est comment, chez toi?*
- *Chez moi, il y a sept pièces. Il y a la cuisine, le salon, ... Il n'y a pas de ...*
- *C'est l'appartement B.*
- *Oui, c'est ça.*

Chez moi, il y a (six) pièces.
Il y a le (salon), la (cuisine), ...
Il n'y a pas de (jardin).
Voici le/la/les ...

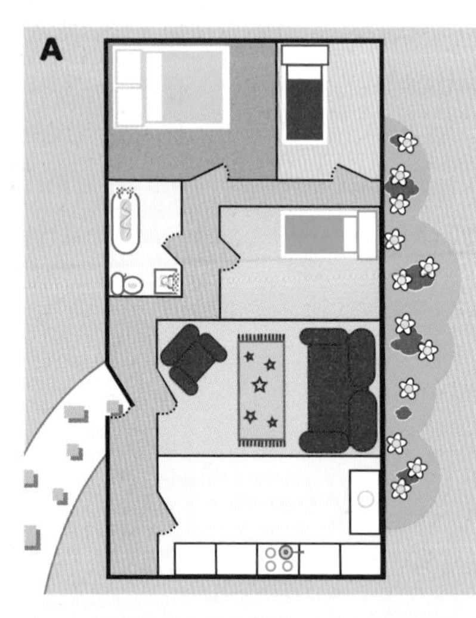

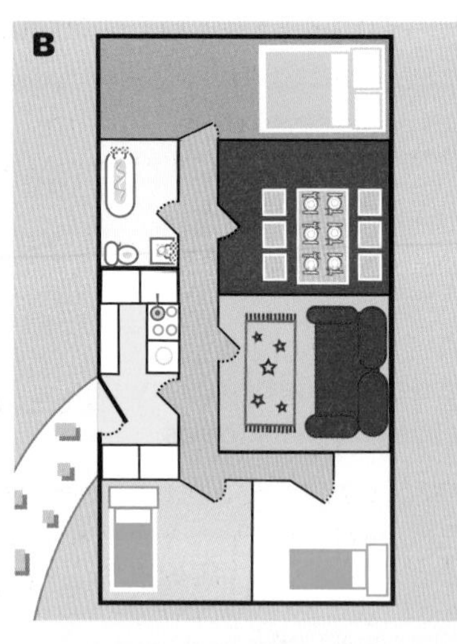

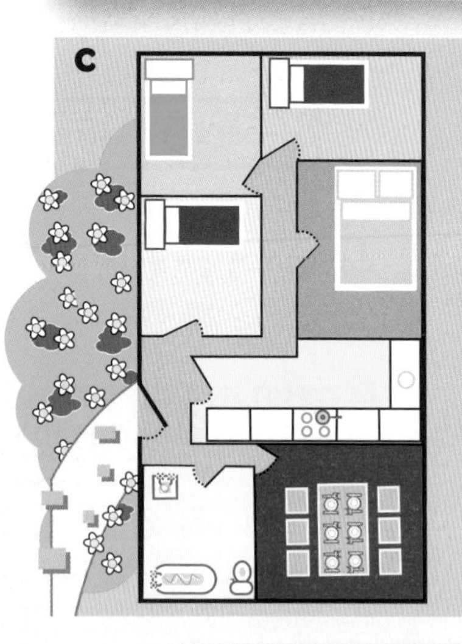

3 ÉCRIRE **Décris ta maison/ton appartement ou un appartement de l'exercice 2.**

Exemple:

Chez moi, il y a sept pièces. D'abord, il y a la cuisine. C'est une jolie cuisine moderne. Il y a aussi trois chambres. Ma chambre est plus grande que la chambre de mon frère ...

! *Add interest by describing some of the rooms. Include at least two comparative adjectives.*

Jade visite l'appartement d'Éva. Écoute et complète le tableau. (1–6)

Jade is visiting Éva's flat. Listen and fill in the grid. (1–6)

l'immeuble (m) *block of flats*

	Quoi?	C'est où?
1	cuisine	à gauche, en face du salon
2		

Studio Grammaire

Page 83

You use prepositions to describe where things are.

dans	in	*entre*	between
devant	in front of	*sous*	under
derrière	behind	*sur*	on

entre *la cuisine et le salon*
between the kitchen and the living room

sur *la table* on the table

Some prepositions are followed by ***de***.

à côté de	next to
à droite de	on the right of
à gauche de	on the left of
en face de	opposite

Remember: *de + le → du*

à côté ***du*** *salon*

en face ***de la*** *salle de bains*

En tandem. Choisis un des appartements de l'exercice 2. Fais visiter ton/ta camarade.

In pairs. Choose one of the flats from exercise 2. Give your partner a tour.

Exemple:

- *Bienvenue chez moi! Voici (le salon).*
- *Oh, c'est très grand/joli/moderne! Où est (la cuisine)?*
- *La cuisine est entre/en face de/à côté de ...*

Écoute, lis et chante!

Trouve et traduis le nouveau vocabulaire dans la chanson.

Find the names of:

a five pieces of furniture
b four electrical items
c three things (normally) found in a bathroom.

Écris un nouveau paragraphe pour la chanson. Utilise un dictionnaire, si nécessaire.

Quelle pagaille!

Refrain:

Aïe! Aïe! Aïe! Quelle pagaille!
Chez nous, c'est beaucoup trop petit.
Oh! Oh! Oh! Quel chaos!
Mais on aime bien habiter ici.

Dans ma chambre minuscule, j'ai un lit mezzanine,
Avec un bureau et une chaise sous mon lit.
Mais mon armoire est à côté, dans la cuisine.
C'est un peu embarrassant quand je m'habille!

(Refrain)

Dans la salle de bains, entre la douche et les toilettes,
Il y a l'antenne pour la télé satellite.
Et la machine à laver est devant la fenêtre,
Sous le lavabo car la cuisine est trop petite!

(Refrain)

Dans le salon, il y a très peu de place
Pour nous sur notre petit canapé.
Je ne suis pas contente car le frigo est en face
Et je ne peux pas voir l'écran de la télé!

(Refrain)

3 À table, tout le monde!

- Talking about meals
- boire *and* prendre

Regarde la photo. Copie le bon mot pour chaque numéro. Utilise un dictionnaire, si nécessaire.

Le petit déjeuner français

du beurre
du café
du chocolat chaud
du lait
du jus d'orange
du pain (une baguette)
du thé
de la confiture
des céréales
un croissant
un pain au chocolat
une brioche
une tartine

Studio Grammaire » Page 84

The partitive article (*du, de la, de l'* or *des*) means 'some'.

de + le = du	*de + l' = de l'*
de + la = de la	*de + les = des*

Écoute. Qu'est-ce qu'ils prennent au petit déjeuner? Note les bons numéros.

Charlotte | Ahmed | Irina | Maxime

Je ne prends/mange/ bois rien.	*I don't have/eat/ drink anything.*
Je n'ai rien pris/ mangé/bu.	*I didn't have/eat/ drink anything.*

Fais un sondage sur le petit déjeuner. Copie le tableau et note les résultats.

- *Qu'est-ce que tu prends pour le petit déjeuner?*
- *D'habitude/Normalement, je prends/mange/bois …*
  Mais quelquefois/le dimanche, …
  Ce matin, j'ai pris/mangé/bu …

Exemple:

	Nom	Mange?	Boit?
1	Marie	une tartine	un chocolat chaud
2			

Studio Grammaire » Page 83

boire (to drink)	**prendre** (to take/ have)
je bois	*je prends*
tu bois	*tu prends*
il/elle/on boit	*il/elle/on prend*
nous buvons	*nous prenons*
vous buvez	*vous prenez*
ils/elles boivent	*ils/elles prennent*
perfect tense	
j'ai bu	*j'ai pris*

Écris les résultats de ton sondage.

Une personne prend/mange/boit …
(Cinq personnes) prennent/mangent/boivent …

5 Écoute et lis. Trouve la bonne légende en anglais pour chaque texte. (1–4)

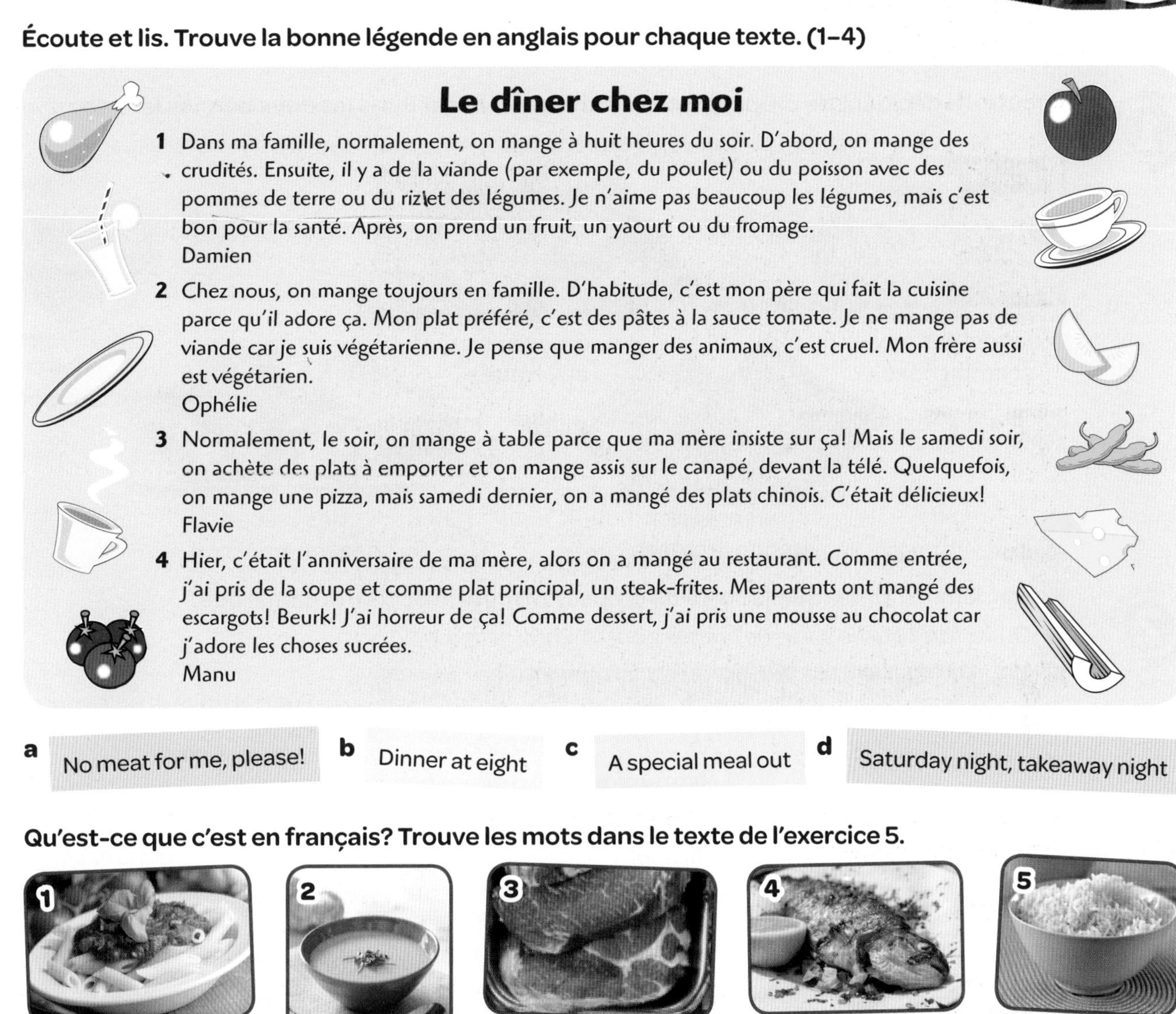

Le dîner chez moi

1 Dans ma famille, normalement, on mange à huit heures du soir. D'abord, on mange des crudités. Ensuite, il y a de la viande (par exemple, du poulet) ou du poisson avec des pommes de terre ou du riz et des légumes. Je n'aime pas beaucoup les légumes, mais c'est bon pour la santé. Après, on prend un fruit, un yaourt ou du fromage.
Damien

2 Chez nous, on mange toujours en famille. D'habitude, c'est mon père qui fait la cuisine parce qu'il adore ça. Mon plat préféré, c'est des pâtes à la sauce tomate. Je ne mange pas de viande car je suis végétarienne. Je pense que manger des animaux, c'est cruel. Mon frère aussi est végétarien.
Ophélie

3 Normalement, le soir, on mange à table parce que ma mère insiste sur ça! Mais le samedi soir, on achète des plats à emporter et on mange assis sur le canapé, devant la télé. Quelquefois, on mange une pizza, mais samedi dernier, on a mangé des plats chinois. C'était délicieux!
Flavie

4 Hier, c'était l'anniversaire de ma mère, alors on a mangé au restaurant. Comme entrée, j'ai pris de la soupe et comme plat principal, un steak-frites. Mes parents ont mangé des escargots! Beurk! J'ai horreur de ça! Comme dessert, j'ai pris une mousse au chocolat car j'adore les choses sucrées.
Manu

a No meat for me, please! **b** Dinner at eight **c** A special meal out **d** Saturday night, takeaway night

6 Qu'est-ce que c'est en français? Trouve les mots dans le texte de l'exercice 5.

7 Qu'est-ce que tu prends pour le petit déjeuner? Et pour le dîner? Qu'est-ce que tu as mangé et bu hier? Écris un résumé.

Normalement, pour le petit déjeuner, je prends/mange/bois …
Mais quelquefois/le dimanche, …
Chez nous, le soir, on mange à (huit heures).
D'habitude, on mange en famille/à table/assis sur le canapé/devant la télé.
Mon plat préféré, c'est …
Hier/Samedi dernier, j'ai/on a pris/mangé/bu …

8 Apprends ton résumé par cœur et fais une présentation.

4 Il faut faire des crêpes!

- Discussing what food to buy
- il faut

1 Écoute. Ils décident de préparer quelle sorte de crêpes? Écris les deux bonnes lettres.

Listen. What sort of pancakes do they decide to make? Write down the two correct letters.

a des crêpes aux champignons

b des crêpes jambon-fromage

c des crêpes aux fraises

d des crêpes banane-chocolat

e des crêpes aux pommes

2 En tandem. Tu aimes quelle sorte de crêpes? Discute avec ton/ta camarade.

- *On va faire quelle sorte de crêpes pour la Chandeleur?*
- *Moi, j'aime les crêpes au/à la/aux ... Tu aimes ça?*

Ah, oui! *Miam-miam!* *C'est délicieux!*	*J'adore* *J'aime (beaucoup/assez)* *Je préfère*	*ça.* *le chocolat/fromage/jambon.* *les bananes/pommes/champignons/fraises.*
Ah, non! *Beurk!*	*Je n'aime pas (beaucoup)* *Je déteste*	

3 Qu'est-ce qu'il faut acheter pour faire des crêpes? Écoute et mets les images dans le bon ordre.

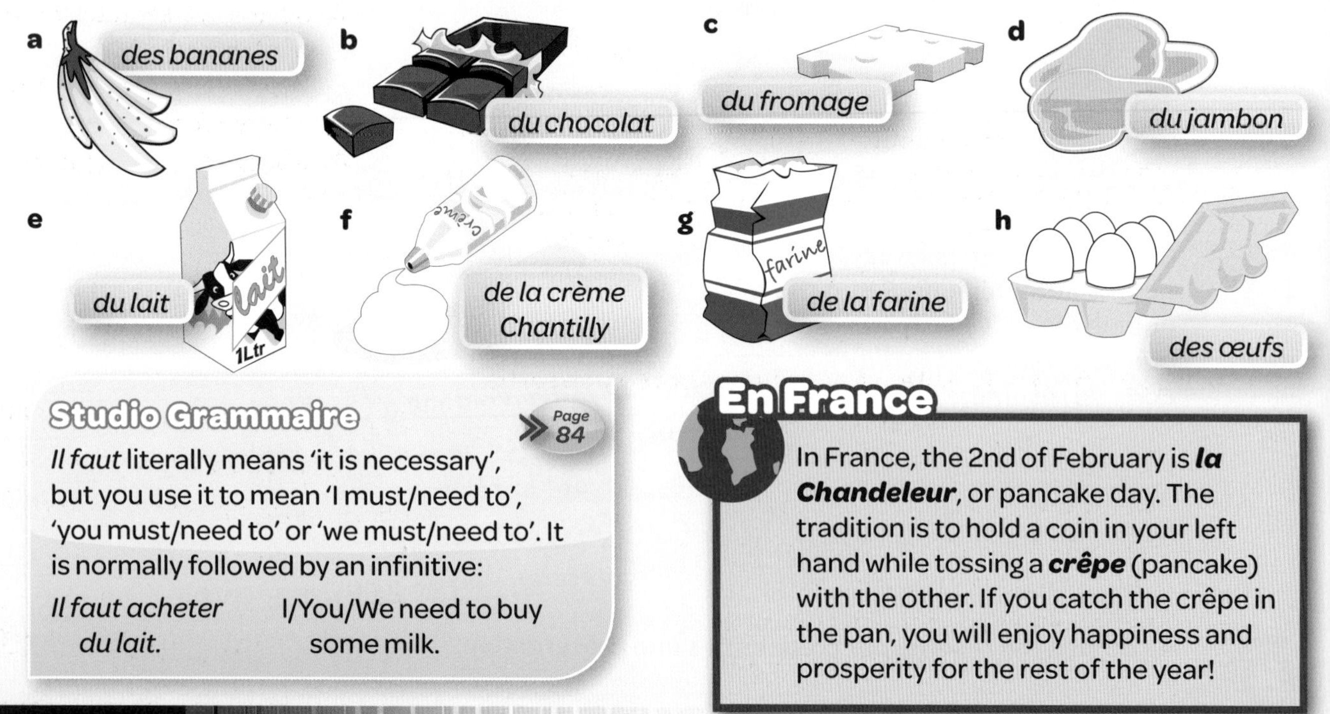

a des bananes

b du chocolat

c du fromage

d du jambon

e du lait

f de la crème Chantilly

g de la farine

h des œufs

Studio Grammaire

Page 84

Il faut literally means 'it is necessary', but you use it to mean 'I must/need to', 'you must/need to' or 'we must/need to'. It is normally followed by an infinitive:

Il faut acheter du lait. — I/You/We need to buy some milk.

En France

In France, the 2nd of February is ***la Chandeleur***, or pancake day. The tradition is to hold a coin in your left hand while tossing a ***crêpe*** (pancake) with the other. If you catch the crêpe in the pan, you will enjoy happiness and prosperity for the rest of the year!

Il faut en acheter combien? Écoute et complète la liste.

Exemple: six œufs

six ____
un litre de ____
un paquet de ____
trois tranches de ____
cinq cents grammes de ____
un kilo de ____
une tablette de ____
une bombe de ____

Studio Grammaire » Page 83

With quantities and containers of food and drink, you just use **de** (not *du, de la, de l'* or *des*).

*un paquet **de** café* *un kilo **de** pommes*

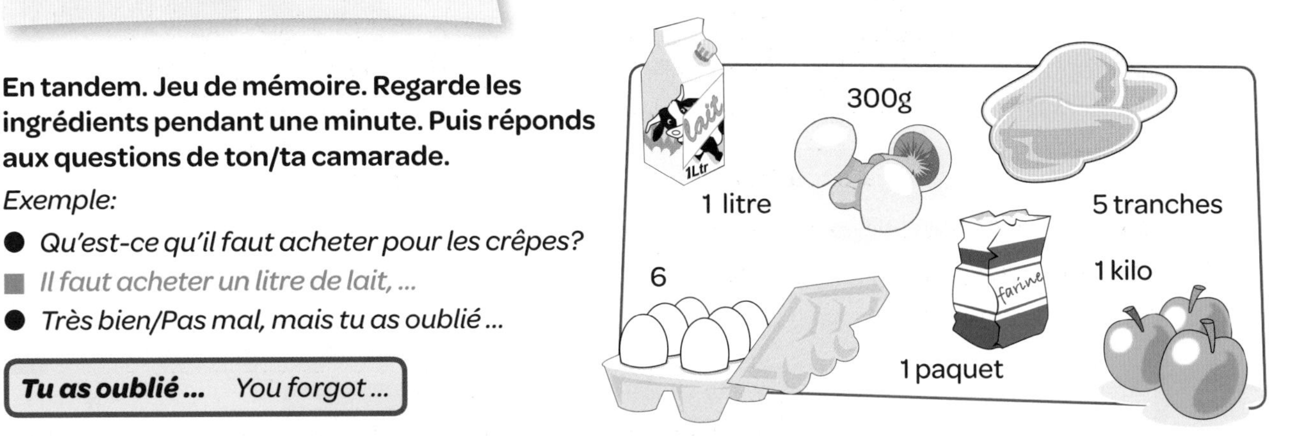

En tandem. Jeu de mémoire. Regarde les ingrédients pendant une minute. Puis réponds aux questions de ton/ta camarade.

Exemple:

- *Qu'est-ce qu'il faut acheter pour les crêpes?*
- *Il faut acheter un litre de lait, …*
- *Très bien/Pas mal, mais tu as oublié …*

Tu as oublié … *You forgot …*

Lis les textes et réponds aux questions. C'est Adrien ou Dalila?

Tu es invité(e) chez moi demain soir, pour fêter la Chandeleur! D'abord, on va manger des crêpes (le chef, c'est moi!) et après, on va écouter de la musique ou regarder un film. Alors, il faut apporter des CD et des DVD. Si tu n'aimes pas les crêpes, il faut acheter des plats à emporter! À demain!
Adrien

Qu'est-ce que tu fais demain midi? On va aller au restaurant pour la Chandeleur. Il y a une bonne crêperie en ville et je vais réserver une table. Ce n'est pas cher, mais il faut apporter de l'argent! Après, on va aller à la patinoire, alors il faut porter un pull ou un sweat. Tu viens?
Dalila

Who …

1. is inviting you to eat out?
2. wants you to bring something to listen to or watch?
3. is going to be making pancakes?
4. advises you to wear warm clothes? Why?
5. is inviting you to an evening celebration?
6. wants you to bring some money?

Écris un e-mail. Invite tes amis à une fête ou une sortie.

Write an email. Invite your friends to a party or to go out.

Include:

- what/where you are inviting them to
- the main thing you are going to do
- what you are going to do first
- what you are going to do afterwards
- what they must buy/bring/wear, etc.

Tu es invité(e) à mon anniversaire/
chez moi/au restaurant …
On va manger/boire/danser/faire …
D'abord, on va …
Après/Ensuite/Puis, on va …
Il faut acheter/apporter/porter …

5 On est allés au carnaval!

- *Talking about an event*
- *Using three tenses*

Écoute et lis. Mets les images dans le bon ordre.

Je m'appelle Clara. J'habite à Nice, dans le sud de la France. Tous les ans, en février, ici, c'est le carnaval. Il y a de grands défilés avec beaucoup de jolis chars, les «grosses têtes» et la célèbre Bataille de Fleurs. J'adore ça parce que c'est marrant.

D'habitude, je regarde le défilé avec ma famille et quelquefois, je prends des photos avec mon portable. Après, on va au restaurant. L'année dernière, on est allés à la crêperie pour manger des crêpes (mes parents ont aussi bu du cidre!) et le soir, nous avons regardé le feu d'artifice. C'était top!

Mais l'année prochaine, je vais faire quelque chose de différent. Je vais participer au défilé pour la première fois. Le thème de notre char, c'est les films d'horreur, donc je vais porter un costume de vampire et je vais chanter et danser avec mes copains sur le char! On va s'amuser!

a **b** **c** **d** **e** **f**

pour la première fois *for the first time*

Réécoute et relis le texte. Pour chaque image, écris PR (présent), PA (passé) ou F (futur).

3 En tandem. Interviewe Clara. Utilise ces questions:

D'habitude, qu'est-ce que tu fais au carnaval?

Qu'est-ce que tu as fait l'année dernière?

Qu'est-ce que tu vas faire l'année prochaine?

Studio Grammaire

» Page 85

To work out whether someone is referring to the past, the present or the future, look or listen for:

1. time expressions
2. the tense of the verb.

Présent	Passé	Futur
d'habitude tous les ans	hier l'année dernière	demain l'année prochaine
je regarde ... je vais ...	j'ai regardé ... je suis allé(e) ...	je vais regarder ... je vais aller ...

On parle du présent, du passé ou du futur? Écris PR, PA ou F. Puis écoute à nouveau et note les activités. (1–6)

En tandem. Lis la conversation à voix haute.

- *Qu'est-ce que tu fais normalement au carnaval?*
- *D'habitude, je regarde le défilé et ensuite, je mange des crêpes avec ma famille.*
- *Tu as fait ça, l'année dernière?*
- *Non, l'année dernière, j'ai participé au défilé. J'ai porté un costume de vampire!*
- *Et qu'est-ce que tu vas faire demain?*
- *Je vais nager dans la mer ou s'il fait froid, je vais aller au cinéma.*

Change les mots soulignés dans la conversation de l'exercice 5. Utilise les images ou tes propres idées.

Exemple:

- *Qu'est-ce que tu fais normalement au carnaval?*
- *D'habitude, je prends des photos et ensuite, …*

Présent	Passé	Futur
je regarde	*j'ai regardé*	*je vais regarder*
je mange	*j'ai mangé*	*je vais manger*
je danse	*j'ai dansé*	*je vais danser*
je porte	*j'ai porté*	*je vais porter*
je fais	*j'ai fait*	*je vais faire*
je prends	*j'ai pris*	*je vais prendre*
je vais	*je suis allé(e)*	*je vais aller*

Décris une fête. Écris un paragraphe au présent, au passé et au futur.

D'habitude, pour mon anniversaire/à Hallowe'en/le cinq novembre, je …
Mais l'année dernière/cette année, j'ai/je suis …
L'année prochaine/Cette année, je vais …

Write about an event or a celebration (e.g. your birthday, Hallowe'en, Bonfire Night …). Describe what you normally do, what you did the last time and what you are going to do next time. Try to use as many different verbs as possible. Look up any new words you need in a dictionary.

Bilan

Unité 1

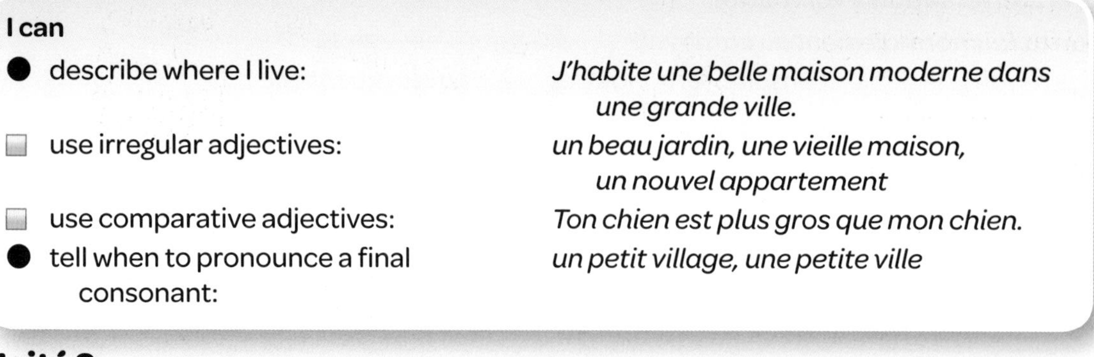

I can

- ● describe where I live: *J'habite une belle maison moderne dans une grande ville.*
- ☐ use irregular adjectives: *un beau jardin, une vieille maison, un nouvel appartement*
- ☐ use comparative adjectives: *Ton chien est plus gros que mon chien.*
- ● tell when to pronounce a final consonant: *un petit village, une petite ville*

Unité 2

I can

- ● describe my home: *Chez moi, il y a sept pièces. Il y a un grand salon, une jolie cuisine, ...*
- ● explain where things are: *Le salon est en face de ma chambre.*
- ☐ use prepositions: *sur la table, derrière la maison, à côté de la douche*

Unité 3

I can

- ● say what I have for breakfast: *D'habitude, je mange des céréales et je bois du thé.*
- ● describe mealtimes in my family: *Chez nous, le soir, on mange à sept heures. Samedi dernier, on a mangé une pizza.*
- ☐ use the verbs *boire* and *prendre*: *On boit du café. J'ai pris une mousse au chocolat.*

Unité 4

I can

- ● discuss what food to buy: *Il faut acheter du lait et de la farine.*
- ● say how much to buy: *un litre de lait, deux tranches de jambon*
- ☐ use *il faut* + infinitive: *Il faut aller au supermarché.*

Unité 5

I can

- ● describe an event: *Tous les ans, je vais au carnaval. Il y a un grand défilé avec des chars et le soir, on regarde le feu d'artifice.*
- ☐ use three tenses to refer to the present, past and future: *Normalement, je **prends** des photos, mais l'année dernière, j'**ai participé** au défilé. L'année prochaine, je **vais porter** un costume de vampire.*

Copie et complète le tableau. Écoute et note la bonne lettre et écris combien il faut acheter. (1–6)

Exemple:

	Quoi?	Quantité
1	c	1 paquet

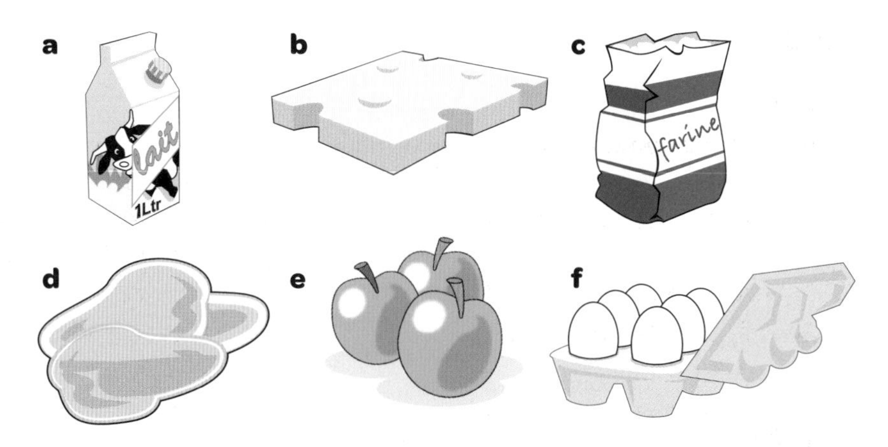

En tandem. Fais une conversation. Utilise les questions suivantes.

- Qu'est-ce que tu prends pour le petit déjeuner?
- Tu manges à quelle heure, le soir?
- Normalement, qu'est-ce que tu manges le soir?
- Quel est ton plat préféré?
- Qu'est-ce que tu as mangé et bu hier soir?

Lis l'e-mail et trouve les quatre phrases vraies.

Salut, Nadia! J'ai déménagé hier! J'habite maintenant dans une vieille maison dans un petit village. Ma nouvelle maison est très jolie et confortable, mais elle est plus petite que ta maison. Il y a un beau salon, une jolie cuisine moderne et trois chambres, mais il n'y a pas de salle à manger.

Qu'est-ce que tu vas faire en février? D'habitude, ma mère fait des crêpes pour la Chandeleur, mais cette année, on va manger à la crêperie. J'adore les crêpes au chocolat! Et toi?

L'année dernière, je suis allée à Nice, pour le carnaval, avec ma famille. On a regardé les défilés et le feu d'artifice. J'ai pris beaucoup de photos avec mon portable. J'ai beaucoup aimé le carnaval. C'était fabuleux!

Sarah

1. Sarah now lives in an old house.
2. Her house is bigger than Nadia's house.
3. The kitchen is old and ugly.
4. There is a small dining room in the house.
5. On Pancake Day, Sarah is going to eat out.
6. Her favourite type of pancake is banana.
7. Last year, Sarah and her family went to the Nice Carnival.
8. Sarah watched the parade and took photos.

4 ÉCRIRE

Imagine que tu es une célébrité très riche. Écris un blog au présent, au futur et au passé.

- Describe your home.
- Explain what you are going to do in February.
- Describe what you did last year.
- Use the pictures or your own ideas!

En plus: Mon chez moi

Écoute et lis.

A

Je m'appelle Blaise et j'habite à Ouagadougou. Ouaga, c'est une grande ville. C'est la capitale du Burkina Faso qui se trouve en Afrique de l'Ouest. Moi, j'habite dans un petit appartement moderne. J'habite avec mon père et ma belle-mère.

Chez nous, il y a la cuisine, le salon, deux chambres et la salle de bains, mais il n'y a pas de balcon. J'aime bien habiter ici, c'est une ville sympa.

Normalement, le soir, on mange à huit heures. On mange de la viande, du mouton par exemple, ou du poulet avec du riz. Je bois du jus d'ananas et mon père boit de la bière.

Un festival important à Ouaga, c'est le festival du cinéma panafricain. L'année dernière, je suis allé au festival avec mon père et j'ai vu de bons films. C'était intéressant.

Cet été, je vais rendre visite à mes grands-parents au village. Je vais aider ma grand-mère et travailler dans son jardin. Le soir, je vais danser les danses traditionnelles.

B

Je m'appelle Stella et je suis malgache. J'habite à Amborovy, un petit village de pêcheurs à Madagascar.

Nous habitons une jolie maison près de la plage. La maison est composée de deux petites cases. Dans la case principale, il y a la cuisine, le salon, les wc, la salle de bains avec une douche et une grande terrasse. La case principale est plus grande que la case en falafa où il y a trois chambres.

D'habitude on mange des crevettes et du riz, mais hier soir, on a mangé du ravitoto (c'est un ragoût de viande de porc) car c'était l'anniversaire de ma mère. On a bu de l'eau de riz. Demain soir, nous allons manger du poisson, je crois.

Une fête importante à Madagascar, c'est le Nouvel An malgache, au mois de mars. L'année dernière, c'était génial: on a dansé, chanté et mangé pendant toute la nuit!

la case	*hut*
falafa	*palm leaves*

2 Lis les textes et réponds aux questions en français.

1. Blaise habite dans quelle sorte d'appartement?
2. Qu'est-ce qu'il pense d'Ouagadougou?
3. Qu'est-ce que son père boit le soir?
4. Blaise est allé où, l'année dernière?

1. Stella habite dans quel pays?
2. Où se trouve sa maison?
3. Il y a combien de pièces dans la case en falafa?
4. Qu'est-ce que Stella va manger demain soir?

Answering questions in French:

- *Use the words in the question in your answer:* ***Où habite-t-elle? – Elle habite ...***
- *Change nouns to pronouns:* ***Stella habite dans quel pays? – Elle habite ...***
- *If the question begins* ***Il y a****, the answer begins with* ***Il y a****!*
- *If the question begins* ***Qu'est-ce que ...?*** *(What ...?), you will often need to replace that phrase with a thing:* ***Qu'est-ce que tu as mangé? – J'ai mangé du poisson****.*
- *If the question asks about 'you'* ***(tu)****, answer with 'I'* ***(je)****!*
- *If the question asks about 'he' or 'she'* ***(il/elle)****, answer with 'he' or 'she'* ***(il/elle)****.*

Trouve ces phrases dans les textes de l'exercice 1. Souligne le verbe qui indique le temps de la phrase et écris: passé, présent ou futur.

1. Tomorrow evening, we're going to have fish.
2. I like living here, it's a nice town.
3. Last year, I went to the festival with my father.
4. Normally, we eat at eight in the evening.
5. We live in a pretty house near the beach.
6. I'm going to help my grandmother.
7. We danced, sang and ate all night!
8. The main hut is bigger than the palm hut.

Écris ton opinion. Chez qui vas-tu aller en vacances, chez Blaise ou chez Stella? Pourquoi?

Je vais aller en vacances chez …
car sa maison est jolie/confortable/moderne/agréable/traditionnelle
et aussi parce que j'aime (les crevettes) et …

Choisis un pays et prépare un exposé. Imagine que tu habites en Nouvelle-Calédonie ou en Tunisie.

Nouméa, en Nouvelle-Calédonie
- maison moderne, confortable
- 1 grande cuisine, 1 salon, 2 chambres, 2 salles de bains, 1 terrasse, pas de piscine
- dîner: 18h00, le bœuf, les poissons, le vin
- fête importante: le festival de musique, en août, à Nouméa
- l'année prochaine: en France, la tour Eiffel

Djerba, en Tunisie
- jolie villa
- 1 cuisine, 2 salles de bains, 4 chambres, 1 piscine, pas de jardin
- dîner: 19h00, la salade, l'agneau, l'eau
- fête importante: l'Eid-al-Fitr, la fin du Ramadan
- le couscous ☺
- l'année prochaine: à Londres, Big Ben

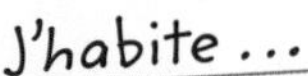

J'habite …
Chez nous, il y a … et aussi …
mais il n'y a pas de …
Normalement, le soir, je/on/nous …
Une fête importante, c'est …
L'année dernière, on a dansé/chanté/mangé …
C'était …
L'année prochaine, je vais visiter … parce que j'aime …

When your classmates have finished their presentations, award them one, two or three stars for each of these categories:
• Pronunciation • Confidence and fluency • Using longer sentences • Use of photos and other visuals (if used)
Try to be constructive in your comments. If you think someone could do better, suggest what he/she could improve and how.

You could create a PowerPoint presentation with photos. Look on the internet for good photos of the place you have chosen and label them. This will help your audience follow your talk and can remind you of what you want to say! You will look more confident and professional.

Studio Grammaire 1

Adjectives

Most adjectives come **after** the noun they describe. But some common adjectives come **before**:

petit grand joli gros vieux nouveau* beau**

J'habite dans une jolie petite maison blanche.

* These adjectives have a special form in front of a masculine noun that begins with a vowel or a silent 'h': *vieil, nouvel, bel.*

un vieil immeuble, un nouvel ami, un bel appart'

1 Unjumble these phrases.

a *confortable petit un appartement*
b *maison une moderne belle*
c *joli intéressant un village*
d *grande une importante ville*
e *moderne nouvel un appartement*
f *petite une ville intéressante*

2 Copy the grid and fill it in using the words below.

	(big)	(small)	(old)	(new)	(beautiful)	(pretty)	(big/fat)
Masculine singular	grand						
Feminine singular	grande						
Masculine before a vowel sound			*	*	*		

jolie grosse petit vieil nouveau belle ~~grande~~ bel vieux
~~grand~~ nouvelle gros petite beau joli nouvel vieille

Comparative adjectives

Adjectives can be used to compare nouns with each other

plus ... que more than *moins ... que* less than

*Mon père est **plus sympa que** ton père.*

Remember to make the adjective agree with the noun.

***Ma sœur** est plus gentil**le** que mon frère.*

3 Write six sentences comparing the two items given.

Example: **1** Mon vélo est plus grand que ton vélo!

1 *mon vélo + grand ton vélo*
2 *ma mère – sympa ta mère*
3 *mon frère + pénible ton frère*
4 *ma voiture + jolie ta voiture*
5 *mon chat – beau ton chat*
6 *ma maison – vieille ta maison*

Prepositions

Prepositions tell us where things are.

entre	between	*dans*	in
sur	on	*devant*	in front of
sous	under	*derrière*	behind

Some prepositions are followed by ***de***.

à côté de	next to
en face de	opposite
près de	near
à droite de	on the right of
à gauche de	on the left of

Remember:
de + le → du
de + les → des
La cuisine est en face ***du*** *salon.*
La chambre est à côté ***des*** *toilettes.*

4 Choose the correct preposition to fill in the gaps.

1. *Le chien est ▬ le lit.*
2. *Le poisson est ▬ ▬ ▬ la chaise.*
3. *Les serpents sont ▬ l'armoire.*
4. *Le chat est ▬ la porte.*
5. *Le cochon d'Inde est ▬ la table.*
6. *L'oiseau est ▬ la télé et la lampe.*

boire and *prendre*

You will need to learn these two irregular verbs by heart.

	boire (to drink)	*prendre* (to take/have)
present tense	*je bois*	*je prends*
	tu bois	*tu prends*
	il/elle/on boit	*il/elle/on prend*
	nous buvons	*nous prenons*
	vous buvez	*vous prenez*
	ils/elles boivent	*ils/elles prennent*
perfect tense	*j'ai bu*	*j'ai pris*

5 Choose the right verb each time. How do you say ...?

1. Normally, he has a croissant. — *Normalement, il prendre/prends/prend/a pris un croissant.*
2. We have breakfast at eight o'clock. — *On prends/prend/prenons/prennent le petit déjeuner à huit heures.*
3. My parents drink a lot of coffee. — *Mes parents boivent/boit/bois/buvez beaucoup de café.*
4. What do you have for breakfast? — *Qu'est-ce que tu prend/prends/prenons/prenez au petit déjeuner?*
5. She doesn't drink anything. — *Elle ne boit/bois/boivent/buvez rien.*
6. My parents and I always drink tea for breakfast. — *Mes parents et moi, nous buvez/buvons/boivent/boire toujours du thé au petit déjeuner.*
7. Do you and your sister have slices of bread and butter? — *Vous prendre/prennent/prenez/prend des tartines, toi et ta sœur?*

Studio Grammaire 2

The partitive article

With quantities and containers of food and drink, you just use ***de*** (not *du, de la, de l'* or *des*).
un kilo ***de*** *pommes*
une bombe ***de*** *crème Chantilly*

1 Complete the sentence using the quantities below.
Je suis allé au marché et j'ai acheté …

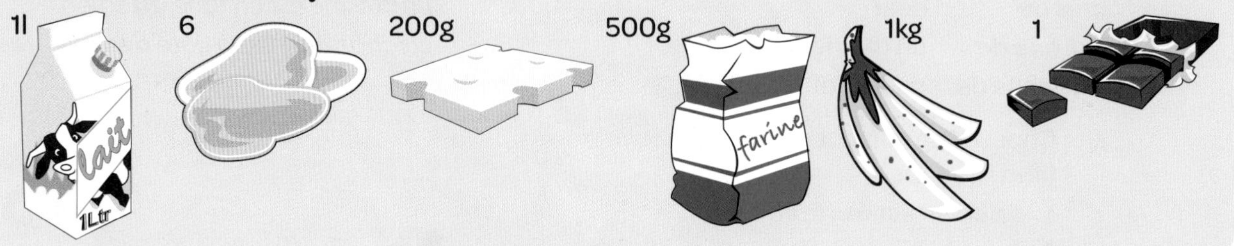

Using *il faut*

Il faut literally means 'it is necessary', but you use it to mean 'I must/need to', 'you must/need to' or 'we must/need to'. It is normally followed by an infinitive:

Il faut aller en ville.	I/You/We need to go into town.
Il faut acheter du fromage.	I/You/We need to buy some cheese.
Il faut apporter de l'argent.	I/You/We need to bring some money.
Il ne faut pas oublier la farine.	I/You/We mustn't forget the flour.

2 Choose the infinitive form of the verb to complete each sentence. Then translate the sentences into English.

Le règlement
1. Il faut arrivez/arriver/arrivé à l'heure.
2. Il faut écouter/écoutez/écoute le prof.
3. Il faut lisez/lu/lire les instructions.
4. Il ne faut pas utilisez/utiliser/utilisé son portable.
5. Il ne faut pas parles/parlez/parler quand le prof parle.

3 Translate these sentences into French using *il faut*.
1. You must go to the cinema.
2. You need to bring DVDs.
3. We need to buy milk.
4. You must not bring money.
5. We must not forget the cheese.
6. You must never do that.

Using three tenses (present, perfect and near future)

In order to attain a higher level in your written and spoken work, you need to show that you can use different tenses together.

present

D'habitude, **je mange** des céréales au petit déjeuner, mais hier, **j'ai mangé** des œufs et demain, **je vais manger** du bacon.

perfect

near future

4 Decide whether these sentences are in the present (PR), past (PA) or future (F).

1 *On va faire des crêpes.*
2 *J'adore les crêpes au chocolat.*
3 *Nous avons mangé au restaurant.*
4 *On prend le petit déjeuner vers huit heures.*
5 *Nous allons regarder le défilé.*
6 *Tu as vu le feu d'artifice?*

5 Fill in the table for the verbs below. Watch out for irregular verbs and verbs that take *être* in the perfect tense!

Infinitive	Present	Perfect	Future
manger	je mange	j'ai mangé	je vais manger

manger prendre visiter aller finir regarder boire faire porter voir

6 Which is the odd one out? Give a reason each time.

1 **a** *je fais* **b** *tu vas faire* **c** *on fait*
2 **a** *je vais aller* **b** *je vais prendre* **c** *j'ai mangé*
3 **a** *je suis allé* **b** *j'ai vu* **c** *je suis sortie*
4 **a** *je prends* **b** *je regarde* **c** *je fais*
5 **a** *on va manger* **b** *tu vas boire* **c** *il a pris*

7 Decide whether these time markers refer to the present (PR), past (PA) or future (F).

a *d'habitude*
b *l'année dernière*
c *normalement*
d *samedi dernier*
e *demain soir*
f *hier*
g *l'année prochaine*
h *la semaine dernière*

8 Choose the correct time expression for each sentence.

1 *D'habitude/L'année dernière, au petit déjeuner, je mange des céréales.*
2 *Normalement/Samedi dernier, nous sommes allés en ville.*
3 *Demain soir/Normalement, il regarde les matchs de foot à la télé.*
4 *Hier/L'année prochaine, nous allons participer au défilé.*
5 *La semaine prochaine/Le weekend dernier, j'ai vu un très bon film.*

9 Change the time expressions to the ones in brackets. Change the tense accordingly.

1 *L'année prochaine, on va aller en Espagne.* (l'année dernière)
2 *Normalement, on mange à huit heures du soir.* (hier)
3 *Hier soir, je suis allé sur mes sites Internet préférés.* (d'habitude)
4 *D'habitude, nous regardons le feu d'artifice.* (l'année prochaine)
5 *Hier, j'ai joué au foot avec mes copains parce qu'il a fait beau.* (demain)

Vocabulaire

Les domiciles • Homes

j'habite	*I live*
la maison	*house*
l'appartement (m)	*flat*
la rue	*street/road*
à la campagne	*in the country*
dans un village	*in a village*
dans une ville	*in a town*

Les adjectifs • Adjectives

petit	*small*
grand	*big*
beau/belle	*beautiful*
joli(e)	*pretty*
vieux/vieille	*old*
nouveau/nouvelle	*new*
neuf/neuve	*brand new*
moderne	*modern*
confortable	*comfortable*
gros(se)	*big (for animals and objects)/fat*

Les pièces • Rooms

Chez moi, il y a ...	*In my home, there is/are ...*
la chambre (de mes parents/de ma sœur)	*(my parents'/my sister's) bedroom*
ma chambre	*my bedroom*
la cuisine	*kitchen*
le jardin	*garden*
la salle à manger	*dining room*
la salle de bains	*bathroom*
le salon	*living room*
les toilettes	*toilet*
Il n'y a pas de ...	*There isn't a .../There aren't any ...*

Les meubles et les appareils • Furniture and appliances

l'armoire (f)	*wardrobe*
le bureau	*desk*
le canapé/la chaise	*sofa/chair*
la douche	*shower*
la fenêtre	*window*
le frigo	*fridge*
le lavabo	*wash basin*
le lit	*bed*
la machine à laver	*washing machine*
la télé (satellite)	*(satellite) TV*

Les prépositions • Prepositions

dans/devant	*in/in front of*
derrière	*behind*
entre	*between*
sous	*under(neath)*
sur	*on*
à côté de	*next to*
à droite de/à gauche de	*on the right of/on the left of*
en face de	*opposite*

Le petit déjeuner • Breakfast

Qu'est-ce que tu prends pour le petit déjeuner?	*What do you have for breakfast?*
Je mange/Je prends ...	*I eat/I have ...*
du beurre/du pain	*butter/bread*
de la confiture	*jam*
des céréales	*cereals*
un croissant	*a croissant*
un pain au chocolat	*a pain au chocolat*
une baguette	*a baguette*
une brioche	*a brioche (sweet loaf)*
une tartine	*a slice of bread and butter*
Je bois/Je prends ...	*I drink/I have ...*
du café/du lait/du thé	*coffee/milk/tea*
du chocolat chaud	*hot chocolate*
du jus d'orange	*orange juice*

Le dîner • Evening meal

du fromage/du poisson	*cheese/fish*
du poulet/du riz	*chicken/rice*
de la soupe	*soup*
de la viande	*meat*
des crêpes	*pancakes*
des crudités	*crudités*
des escargots	*snails*
des légumes	*vegetables*
des pâtes	*pasta*
des plats à emporter	*takeaway food*
des pommes de terre	*potatoes*
des tomates	*tomatoes*
un fruit	*a piece of fruit*
un steak-frites	*steak and chips*
un yaourt	*a yoghurt*
une mousse au chocolat	*a chocolate mousse*
Je suis végétarien(ne).	*I'm a vegetarian.*

Les provisions • Food shopping

Il faut acheter ...	*I/We/You must buy ...*
du chocolat	*chocolate*
du fromage/du jambon	*cheese/ham*
de la crème Chantilly	*whipped cream*
de la farine	*flour*
des bananes	*bananas*
des champignons	*mushrooms*
des fraises	*strawberries*
des œufs	*eggs*
des pommes	*apples*

Les quantités • Quantities

un litre de ...	*a litre of ...*
un paquet de ...	*a packet of ...*
une tranche de ...	*a slice of ...*
cinq cents grammes de ...	*500 grams of ...*
un kilo de ...	*a kilo of ...*
une tablette de ...	*a bar of ...*
une bombe de ...	*a spray can of ...*

Les mots essentiels • *High-frequency words*

chez (exemple: chez moi)	*at someone's home (e.g. at my home)*
ici	*here*
là	*there*
là-bas	*over there*
voici	*here is/here are*
plus	*more*
moins	*less*
il y a	*there is/there are*
pour	*for*

Stratégie 4

Learning by doing

When you're learning vocabulary, doing something often helps to make the words stick.

- Why not write new words on sticky notes and stick them round your bedroom or in places where you will see them regularly? When learning vocabulary, 'a little and often' is better than 'a lot at once'.
- Make some cards with the French word on one side and the English on the other. You can then play a game with yourself or a partner.
- You can also use this method to learn the genders of nouns, e.g. write **chocolat** on one side of the card and **le/du** or **masc.** on the other.

Turn to page 130 to remind yourself of the *Stratégies* you learned in *Studio 1*.

Module 5 Quel talent?!

France is a very musical country! Three of the most popular musical instruments are piano, flute and guitar. Which instrument would you like to learn to play if you had the chance?

Many young French people also compete in activities such as gymnastics, ice skating, athletics, swimming, skiing and horse-riding. What's your talent?

Tecktonik is a big dance craze in France! It's usually performed to techno or hip-hop music. If you've never seen it, try to find some video clips of it online.

TV talent shows are hugely popular in France. Over four million people watch the singing contest *Nouvelle Star* and around 25,000 singers audition for it! What do you think of TV programmes like this? Who's your favourite singer or group from a TV talent contest?

Jenifer

Julien

The singer Jenifer (Jenifer Bartoli) was the first winner of the talent show *Star Academy* and her debut album sold over a million copies! Past winners of the talent show *Nouvelle Star* include Julien Doré and Myriam Abel. See if you can find out more about any of these people and listen to their music online.

According to one survey, the top ten jobs that young French people aged 18–25 would like to do are:

1 actor/actress
2 photo journalist
3 ambassador
4 singer
5 airline pilot
6 renewable energy project manager
7 cultural events manager
8 marketing manager
9 vet
10 international hotel manager.

What would your dream job be and why?

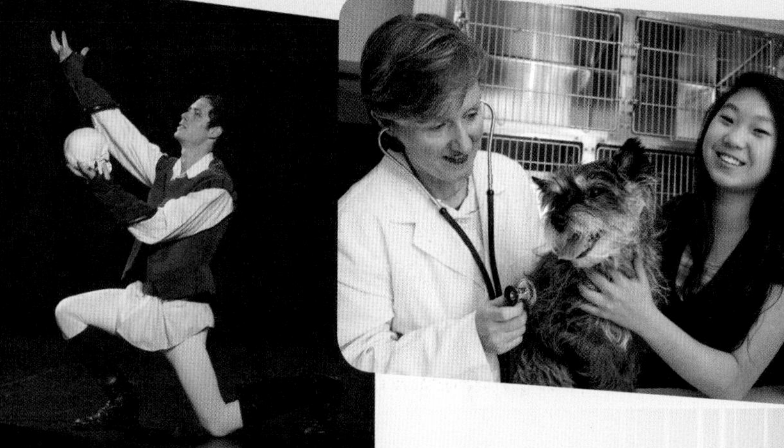

1 La France a du talent!

- *Talking about talent and ambition*
- *Infinitives and the verb* vouloir

Écoute et lis. Complète les phrases en anglais.

CONCOURS DE JEUNES TALENTS

Quel est ton talent? Chanter? Danser? Jouer d'un instrument? Faire de la magie? Jongler?
Tu veux être chanteur, danseur, musicien, magicien, ventriloque ou autre artiste professionnel?

Si tu as moins de dix-huit ans et si tu as du talent, tu es invité(e) à participer à notre grand concours de jeunes talents, le 24 juillet, au centre de loisirs.

Le prix: une bourse de 1000€ pour suivre une formation professionnelle à notre Académie des jeunes talents!

Pour plus de renseignements, visite notre site Web.

1. They are looking for people whose talent is ...
2. You should enter the talent contest if you want to be a professional ...
3. The contest is for people aged ...
4. It takes place on ..., at ...
5. The prize is ...
6. To find out more details, you can ...

Studio Grammaire » Page 104

The infinitive often means 'to ...' or '...ing'.

*Quel est ton talent? **Chanter** ou **danser**?*
What's your talent? **Singing** or **dancing**?

*Elle veut **être** musicienne professionnelle.*
She wants **to be** a professional musician.

Écoute. Copie et remplis la fiche pour chaque personne ou groupe. (1–6)

Exemple:

1
Nom: Olivia
Âge: 16 ans
Talent(s): chanter
Ambition: ....
Autres informations:
....

LMC

Félix

Ryan et Coralie

Olivia

Nathan

Les Pompomstars

En tandem. Jeu de mémoire.

Exemple:

- *Mon talent, c'est jouer de la guitare électrique. Je veux être guitariste professionnel.*
- *Tu es Nathan.*

Mon/Notre talent, c'est	*chanter/danser/faire de la magie/ être pom-pom girl(s).*	
	jouer	*du piano/violon. de la guitare électrique.*
Un jour, je veux/on veut	*être*	*chanteur(s)/chanteuse(s). danseur(s)/danseuse(s). guitariste(s). musicien(s)/musicienne(s). magicien(s)/magicienne(s).*
	gagner	*le concours/la bourse.*

4 Lis le tchat et réponds aux questions.

Quelle est mon ambition? Je veux être chanteur professionnel! J'ai du talent et j'ai aussi un peu d'expérience: j'ai déjà gagné un concours de chant dans ma ville, l'année dernière. Je veux devenir une célébrité!
Jérôme

T'es fou, Jérôme. Les célébrités sont ridicules. Mon ambition, c'est de faire quelque chose d'important dans la vie. Je vais être policier ou professeur de maths.
Sarah

Sarah, c'est du snobisme, tout ça! Si on veut être chanteur, pourquoi pas? Il faut beaucoup travailler, ça demande beaucoup d'efforts. Oui, la police et l'éducation sont importantes, mais la musique aussi, c'est important!
Leïla

Moi, j'adore la musique, mais j'ai horreur des concours télévisés comme *Nouvelle Star*. À mon avis, les candidats n'ont pas de talent. Je joue de la guitare dans un groupe avec trois copains et nous voulons être musiciens professionnels.
Clément

déjà *already*

1. Qui veut être guitariste professionnel?
2. Qui pense que la célébrité n'est pas importante?
3. Qui n'aime pas les émissions comme *Nouvelle Star*?
4. Qui a déjà gagné un concours?
5. Qui veut travailler avec des enfants ou dans la police?
6. Qui pense que c'est difficile d'être chanteur professionnel?
7. Tu es d'accord avec qui? Pourquoi?

Studio Grammaire

» Page 104

The modal verb *vouloir* (to want) is usually followed by an infinitive.

je veux	I want
tu veux	you want
il/elle/on veut	he/she wants/we want
nous voulons	we want
vous voulez	you want
ils/elles veulent	they want
Je veux gagner.	I want to win.

5 Prépare ta présentation pour ton audition (si possible, enregistre ta vidéo). Utilise les informations A ou B.

A

Ludo, 14 years old
Talent: dancing
Ambition: to be a professional dancer, to dance on TV
Experience: won a dance contest at school last summer
Reason for entering: wants to win!

B

Clarisse, 13 years old
Talent: singing
Ambition: to sing in a group, to be famous
Experience: sang in a concert in her town last year
Reason for entering: wants to win the money!

J'ai déjà gagné	I've already won
l'été dernier/l'année dernière	last summer/last year
Je veux participer au concours parce que ...	I want to take part in the contest because ...

You will need to use the present and the perfect tenses in your presentation. To aim for a higher level, include an example of the near future tense, too.

6 Écris ta lettre de motivation pour t'inscrire au concours. Inclus les informations suivantes. (Utilise les textes de l'exercice 5 ou invente si tu veux!)

Write your application letter for the contest. Include the following details. (Use the texts in exercise 5 or make up your own details if you want to!)

- Ton nom et ton âge
- Ton talent
- Tes ambitions
- Ton expérience
- Pourquoi tu veux gagner

2 Je dois gagner!

- *Encouraging or persuading someone*
- pouvoir *and* devoir

1 ÉCOUTER **Écoute et mets les phrases dans le bon ordre. (1-5)**

a *Tu dois répéter tous les jours.*

b *Tu dois aller à l'audition.*

c *Tu dois avoir confiance en toi.*

d *Tu dois participer au concours!*

e *Tu dois faire un clip vidéo.*

2 PARLER **En tandem. Choisis la séquence d'images 1 ou 2 et fais un dialogue. Utilise les phrases de l'exercice 1.**

In pairs. Choose picture sequence 1 or 2 and make a conversation. Use the sentences from exercise 1.

1	2
d, c, e, a, b	d, e, b, c, a

Exemple: **1**

- *Tu dois participer au concours!*
- ■ *Qu'est-ce que je dois faire?*
- *D'abord, tu dois avoir confiance en toi. Ensuite,* ▬.
- ■ *D'accord. Et après?*
- *Après,* ▬. *Et finalement,* ▬.

3 ÉCRIRE **Écris un dialogue. Utilise la séquence d'images 1 ou 2 de l'exercice 2.**

The sound **-oi** *(e.g.* ***moi, toi, dois****) is pronounced like 'wa' (but with a short 'a', not 'waaah'!).*

Studio Grammaire » Page 104

devoir	to have to
je dois	I must
tu dois	you must
il/elle/on doit	he/she/we must
nous devons	we must
vous devez	you must
ils/elles doivent	they must

devoir is normally followed by an infinitive:

Tu dois ***aller*** *à l'audition.* –
You must go to the audition.

4 Lis les e-mails. Pour chaque phrase en anglais, décide: c'est Olivia (O) ou Nathan (N)?

Lucie
Je ne peux pas participer au concours de talents, parce que:
1. je dois faire un clip vidéo et je n'ai pas de caméra!
2. je ne peux pas aller à l'audition: je dois faire du babysitting (quelle horreur!).
Olivia

Salut, Olivia
Tu peux faire ton clip vidéo avec mon portable. Et je peux faire du babysitting pour toi. Alors, tu peux aller à l'audition! D'accord?
Bises, Lucie

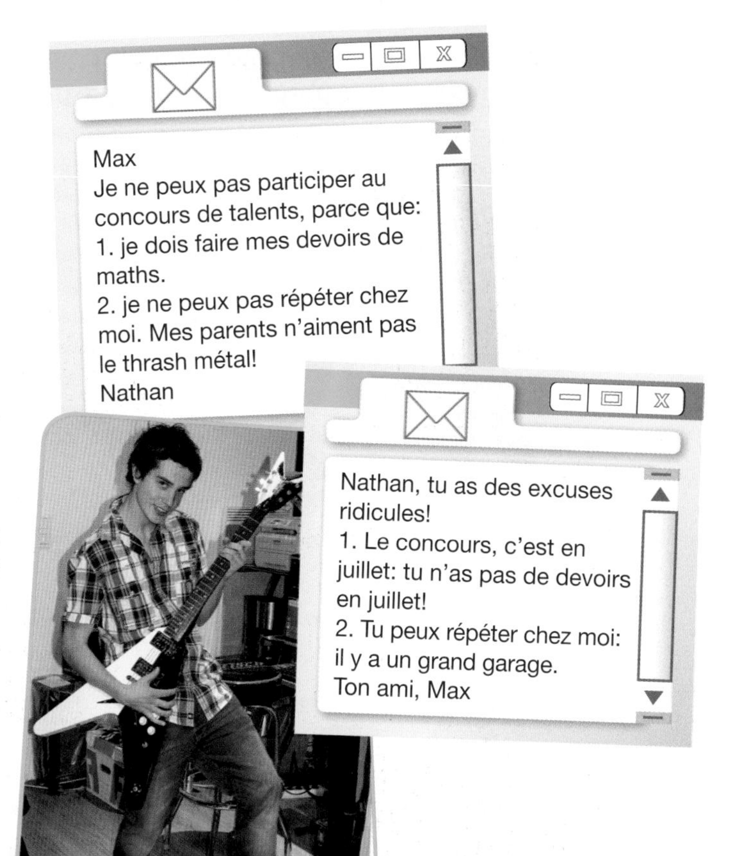

Max
Je ne peux pas participer au concours de talents, parce que:
1. je dois faire mes devoirs de maths.
2. je ne peux pas répéter chez moi. Mes parents n'aiment pas le thrash métal!
Nathan

Nathan, tu as des excuses ridicules!
1. Le concours, c'est en juillet: tu n'as pas de devoirs en juillet!
2. Tu peux répéter chez moi: il y a un grand garage.
Ton ami, Max

Who ...

1. ... is worried about school work?
2. ... can't rehearse at home?
3. ... doesn't have a camcorder?
4. ... has parents who don't like loud music?
5. ... has to look after a young family member?
6. ... can rehearse in a friend's garage?

Studio Grammaire

Page 104

pouvoir	to be able to
je peux	I can
tu peux	you can
il/elle/on peut	he/she/we can
nous pouvons	we can
vous pouvez	you can
ils/elles peuvent	they can

pouvoir is often followed by an infinitive.
Tu peux ***répéter*** *chez moi.* – You can rehearse at my place.
Je ne peux pas. – I can't.

5 Écoute et note les excuses et les solutions. (1-4)

Exemple:

	Excuse	Solution
1	Has to do babysitting	?

6 En tandem. Fais des conversations.

- *Je ne peux pas aller à l'audition/participer au concours/ faire de clip vidéo ...*
- ■ *Pourquoi?*
- *Parce que je dois .../mes parents .../je n'ai pas de ...*
- ■ *Je peux/Tu peux ...*

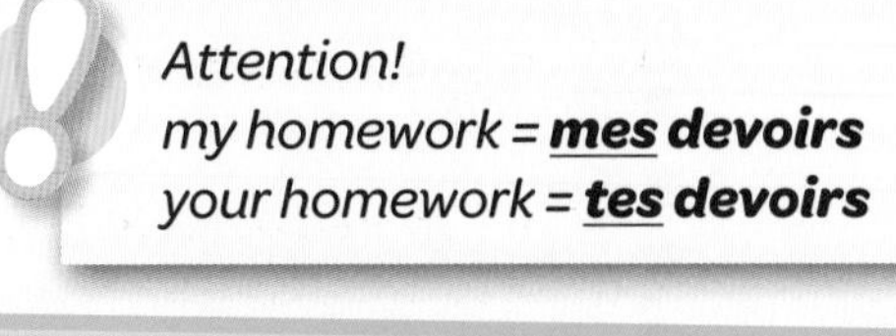

Attention!
my homework = ***mes devoirs***
your homework = ***tes devoirs***

7 Complète l'e-mail. Donne au moins trois excuses.

Complete the email. Give at least three excuses.

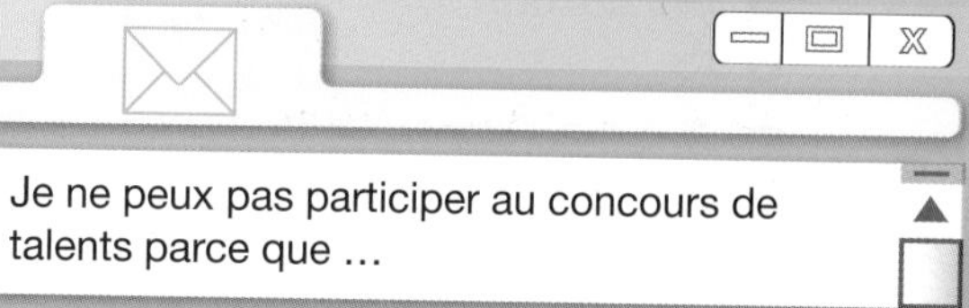

Je ne peux pas participer au concours de talents parce que ...

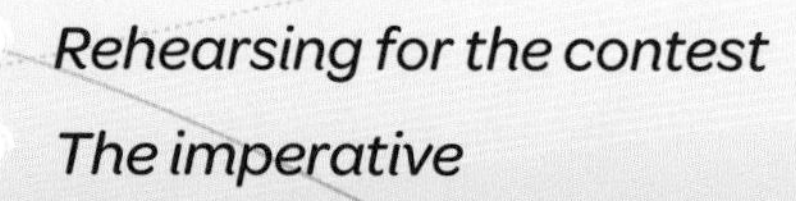

3 Ne fais pas ça!

- *Rehearsing for the contest*
- *The imperative*

Un groupe de danse répète pour le concours. Que dit le prof de danse? Trouve la bonne phrase pour chaque personne.

A dance group is rehearsing for the contest. What does the dance teacher say? Find the correct sentence for each person.

Exemple: **Medhi** 3

1 Jette ton chewing-gum!

2 Éteins ton portable!

3 Fais plus d'efforts!

4 Enlève ton blouson!

5 N'oublie pas ta casquette!

6 Regarde la caméra!

Écoute et vérifie.

Studio Grammaire

» Page 105

Use the *tu* form imperative to tell one person that you know well what to do.

Take the *tu* form of the verb and drop the *tu*:

éteindre (to switch off) → *tu éteins* → *Éteins ton portable!* (Switch off your mobile phone!)

Also drop the final **-s** from **-er** verbs:

regarder → *tu regarde**s*** → *Regard**e** la caméra!* (Look at the camera!)

Add ***-toi*** to reflexive verbs:

se réveiller → *tu te réveilles* → *Réveille-**toi!*** (Wake up!)

To make an imperative negative, put ***ne ... pas*** around the verb:

N'*oublie* ***pas*** *ta casquette!* (Don't forget your cap!)

En tandem. Tu es le/la prof. Ton/Ta camarade est Hugo ou Marielle.

Exemple:

- *Marielle!*
- ■ *Oui?*
- *Éteins ton portable!*
- ■ *Oh, pardon.*
- *Et ...*
- ■ *Oui, monsieur/madame.*

4 Écris tes instructions pour Hugo et Marielle.

Lis le texte et réponds aux questions en anglais. Utilise un dictionnaire, si nécessaire.

Chère Marie-Hélène
Je veux participer à un concours de talents, mais mes parents ont refusé de me donner la permission. Ils disent que je n'ai pas assez travaillé au collège. De plus, ils disent que je ne fais pas assez pour aider à la maison. Ce n'est pas juste! Qu'est-ce que je peux faire?
Ophélie

Chère Ophélie
Malheureusement, je suis d'accord avec tes parents! Voici mes conseils:
- Écoute tes parents. Fais plus d'efforts au collège. Les examens sont importants, alors travaille sérieusement.
- Accepte que tu dois aider à la maison. Range ta chambre, fais ton lit, fais la cuisine de temps en temps. Ce n'est pas difficile!
- Change ton attitude et montre à tes parents que tu peux être plus responsable.
- Fais tout ça pendant un mois. Puis redemande à tes parents si tu peux participer au concours!

Bonne chance!
Marie-Hélène

1 Explain Ophélie's problem. Give as much detail as possible.
2 Which **two** of the following pieces of advice does Marie-Hélène **not** give Ophélie?
 a Listen to your parents.
 b Rehearse every day.
 c Make more of an effort at school.
 d Don't watch so much television.
 e Tidy your bedroom, make your bed and do the cooking from time to time.
 f Show your parents you can be more responsible.
 g Ask them again in a month's time for their permission.
3 Who do you think is right and why?

6 **Écoute et choisis les bons conseils. (1-6)**

Listen and choose the correct advice. (1–6)

1 Malik: **(a)** Change ton tee-shirt. **(b)** Change ton attitude.
2 Coralie: **(a)** Éteins ton portable. **(b)** Éteins ton iPod.
3 Nathan: **(a)** Jette ton bonbon. **(b)** Jette ton chewing-gum.
4 Félix: **(a)** Enlève ton chapeau. **(b)** Enlève ton blouson.
5 Olivia: **(a)** Chante plus fort. **(b)** Ne chante pas.
6 Laurine: **(a)** Regarde la télé. **(b)** Regarde la caméra.

ton chapeau	*your hat*
plus fort	*louder*

7 **Écoute et lis la chanson.**

8 **Relis la chanson. Trouve et copie l'équivalent en français. Utilise le Mini-dictionnaire, si nécessaire.**

1 You're singing too quietly.
2 You dance like an elephant.
3 You sang a bit off-key.
4 You didn't wear your hat.
5 I want to go on holiday.

c'est dur	*it's hard*
devenir vedette	*to become a star*
la prochaine fois	*next time*

9 **Chante la chanson!**

En France

This song is sung to the tune of a famous French children's song called *Alouette*. See if you can find out the lyrics of the original song.

Oh, c'est dur de devenir vedette!

1 Oh, c'est dur de devenir vedette!
Oh, c'est dur de chanter et de danser!
Toi, tu chantes trop doucement!
Tu danses comme un éléphant!
Chante plus fort! Chante plus fort!
Fais plus d'efforts! Fais plus d'efforts!
O-o-o-h!
Oh, c'est dur de devenir vedette!
Oh, c'est dur de chanter et de danser!

2 Oh, c'est dur de devenir vedette!
Oh, c'est dur de chanter et de danser!
Toi, tu chantes un peu trop faux!
Tu ne portes pas ton chapeau!
La prochaine fois, la prochaine fois,
N'oublie pas! N'oublie pas!
O-o-o-h!
Oh, c'est dur de devenir vedette!
Oh, c'est dur de chanter et de danser!

3 Oh, c'est dur de devenir vedette!
Oh, c'est dur de chanter et de danser!
Je n'aime pas faire de la danse,
Je veux aller en vacances!
De la danse! De la danse!
En vacances! En vacances!
O-o-o-h!
Oh, c'est dur de devenir vedette!
Oh, c'est dur de chanter et de danser!

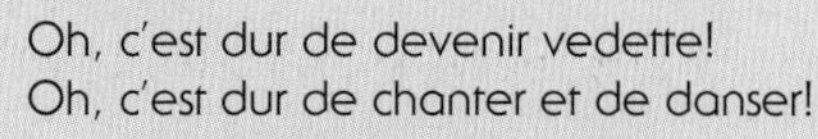

4 C'est qui le meilleur?

Saying who is the best, the most, the least

Superlative adjectives

1 Lis les extraits des lettres de motivation et réponds aux questions.

a À mon avis, je suis la meilleure chanteuse de mon collège. Les autres chanteurs sont vraiment nuls. De plus, je suis très jolie et je danse très bien aussi. Je suis sûre de gagner.

b Tous mes amis disent que je chante bien, mais je sais que j'ai beaucoup à apprendre et c'est pourquoi je veux faire une formation à l'Académie des jeunes talents. Merci beaucoup.

c Je ne sais pas si j'ai assez de talent et je n'ai pas beaucoup de confiance en moi, je suis un peu timide. Mais mes parents disent que je dois participer au concours.

d L'année prochaine, je vais aller au conservatoire pour continuer mes leçons de musique. Un jour, je vais être musicien professionnel. Je veux jouer du piano dans un des meilleurs orchestres d'Europe et faire des concerts partout dans le monde.

e Je lis des magazines sur la danse, j'invente des chorégraphies avec mes copines. Danser, c'est ma passion, c'est ma vie! L'argent n'est pas important pour moi. Je veux tout simplement danser parce que j'adore ça.

À ton avis, qui est ...

1 le/la plus ambitieux/ambitieuse?
2 le/la plus arrogant(e)?
3 le/la plus passionné(e)?
4 le/la moins sûr(e) de lui/d'elle?
5 le/la plus modeste?

apprendre *to learn*

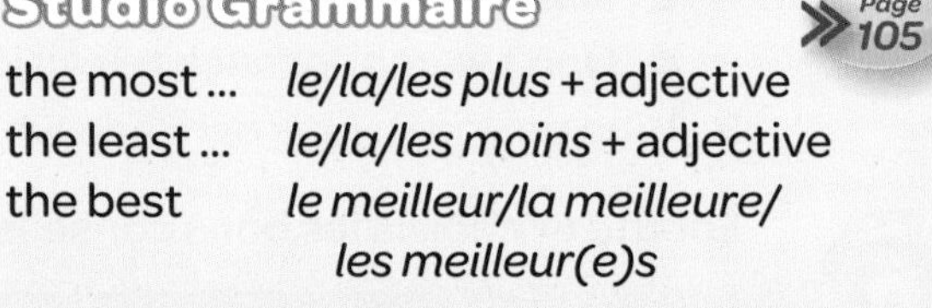

Studio Grammaire » Page 105

the most ...	*le/la/les plus* + adjective
the least ...	*le/la/les moins* + adjective
the best	*le meilleur/la meilleure/ les meilleur(e)s*

The adjective ending must agree with the noun it refers to:

Ryan est ***le plus*** *ambitieux.*
Ryan is the most ambitious.

Coralie est ***la moins*** *motivée.*
Coralie is the least motivated.

Il a ***la meilleure*** *voix.*
He has the best voice.

Ils sont ***les meilleurs*** *chanteurs.*
They are the best singers.

2 Écoute et note en anglais les deux opinions sur chaque candidat. (1–4)

Exemple: **1** Félix: the most hard-working, but the least ...

1 Félix

2 Nathan

3 Olivia

4 LMC

le/la meilleur(e)	the best
le/la plus/moins ...	the most/least ...
ambitieux/ambitieuse	ambitious
arrogant(e)	arrogant
beau/belle	good-looking
modeste	modest
passionné(e)	passionate
professionnel(le)	professional
sûr(e) de lui/d'elle	confident
travailleur/travailleuse	hard-working

En tandem. Choisis un candidat et donne ton opinion. Ton/Ta camarade doit dire le contraire!

Exemple:

Pour moi, Olivia est la plus motivée.

Tu as tort! Pour moi, elle est la moins motivée. À mon avis, elle est la plus ambitieuse.

OK, tu as raison!

tu as raison	you're right
tu as tort	you're wrong

Remember:

il/elle est ... (he/she is ...)

ils/elles sont ... (they are ...)

Do you need **le**, **la** or **les plus/moins ...**?

Use the correct adjective ending (e.g. ***travailleur/travailleuse***).

Tu es le juge! Écoute les chanteurs et donne une note sur cinq dans chaque catégorie. (1–5)

You're the judge! Listen to the singers and give a mark out of five in each category. (1–5)

1 Léa **2** Adrien **3** Dalila **4** Thibaud **5** Océane

Exemple:

	Assurance	Qualité de voix	Talent
1 Léa	4	3	3

À ton avis, qui a chanté le mieux? Écris un commentaire.

In your opinion, who sang the best? Write your comments.

Pour moi, ... *À mon avis, ...* *Je pense que ...*	*X a chanté le mieux.* *X va gagner le concours.*		
car/parce qu'	*il/elle*	*est*	*le plus sûr de lui/la plus sûre d'elle.* *le meilleur chanteur/la meilleure chanteuse.*
		a	*la plus belle voix.* *le plus de talent.*
		a fait *a chanté*	*le plus d'efforts.* *le plus juste/le plus fort.*

En tandem. Regarde tes réponses à l'exercice 5. Compare avec ton/ta camarade.

Tu as raison/tort!
Je (ne) suis (pas) d'accord!
T'es fou/folle!

Tu es journaliste et tu écris un article pour un magazine de musique.

- Give your opinion of how the contestants performed. (*Il/Elle est le/la plus ... Il/Elle a/n'a pas bien chanté.*)
- Give your advice about what they should improve to win. (*Il/Elle doit ... Dalila, chante plus fort, s'il te plaît!*)
- Give the name of your favourite contestant and who you think will win. Give a reason.

*Use **devoir** + infinitive and imperatives to give advice (see pages 92–95).*

5 Et le gagnant est ...

- Showing how much you can do with the French language
- Using a variety of structures and tenses

1 ÉCOUTER **Écoute. Les candidats attendent les résultats du concours. Qui dit quoi? (1–6)**

1 Olivia

2 Ryan

3 Félix

4 Lucas (de LMC)

5 Laurine (des Pompomstars)

6 Nathan

a *J'aime gagner.*

b *Je dois gagner!*

c *Je peux gagner!*

d *Je voudrais gagner.*

e *Je vais gagner?*

f *Je veux gagner!*

2 ÉCRIRE **Copie et complète la conversation avec le verbe *chanter*.**

- ● *Tu* (aimer) ___ ?
- ■ *Ah, oui, j'* (adorer) ___ .
- ● *Alors, tu* (vouloir) ___ *ce soir?*
- ■ *Je veux bien, mais ce soir, je ne peux pas.*
- ● *Alors, tu* (pouvoir) ___ *demain soir?*
- ■ *Oui, d'accord. On* (aller) ___ *demain soir.*
- ● *Tu voudrais* ___ *chez moi?*
- ■ *Ah, non, je ne peux pas. On* (devoir) ___ *chez moi.*
- ● *D'accord. On* (aller) ___ *chez toi demain soir!*

3 PARLER **En tandem. Change l'infinitif de la conversation de l'exercice 2 et répète la conversation. Utilise une des idées suivantes:**

Exemple:

- ● *Tu aimes faire du karaoké?*
- ■ *Ah, oui, j'adore faire du karaoké.*

Studio Grammaire

Page 105

It's amazing what you can do with infinitives!

You can use them:

- with *aimer*, *adorer*, etc. to express likes and dislikes:
  J'aime danser. (I like dancing.)
  Je déteste danser. (I hate dancing.)
- with modal verbs:
  Je peux danser. (I can dance.)
  Je veux danser. (I want to dance.)
- with *aller* to form the near future tense:
  Je vais danser. (I am going to dance.)
- with *je voudrais*, to express wishes:
  Je voudrais danser. (I'd like to dance.)

! *Make sure you use the correct form of the verbs in brackets, for example:* ***tu (vouloir)*** = ***tu veux***.

4 Le juge annonce les résultats du concours! Écoute et note les résultats et les réactions des candidats. Tu es d'accord?

	Nom	Réaction du candidat ☺ ☹ 😐
Troisième place:		
Deuxième place:		
Première place:		

5 Lis le texte et choisis la bonne réponse.

Après le concours: qu'est-ce qu'ils vont faire?

Je vais continuer à jouer de la guitare comme passetemps, mais mon ambition a changé: je veux étudier la médecine. L'année dernière, je suis allé en Afrique en voyage scolaire et un jour, je voudrais travailler comme médecin en Afrique. Aider les autres, pour moi, c'est plus important que la célébrité.

Nathan

On est très contents. On a beaucoup travaillé pour gagner et avec la bourse de mille euros, on peut faire une formation de danse à l'Académie des jeunes talents. Mais d'abord, l'année prochaine, on va continuer nos études au lycée parce qu'il est important d'avoir des qualifications, dans la vie. Ensuite, après nos examens, on va aller à l'Académie.

LMC

À mon avis, la meilleure candidate, la candidate avec le plus de talent, c'était moi! Mais je ne vais pas abandonner! J'ai beaucoup de détermination et un jour, je vais être une chanteuse professionnelle célèbre! Hier, j'ai reçu une invitation: la semaine prochaine, je vais chanter dans une émission musicale à la télé. Alors, je suis très contente!

Olivia

1. a Nathan still wants to be a professional musician.
   b Nathan wants to study medicine.
2. a He is going to play at a concert in Africa.
   b He would like to work as a doctor in Africa.
3. a LMC have done some dance training at the Young Talent Academy.
   b LMC are going to do dance training at the Young Talent Academy.
4. a They are going to continue studying at school.
   b They have left school.
5. a Olivia believes she will be famous one day.
   b Olivia doesn't care about being famous.
6. a She has recently sung on a TV programme.
   b She is going to sing on a TV programme soon.

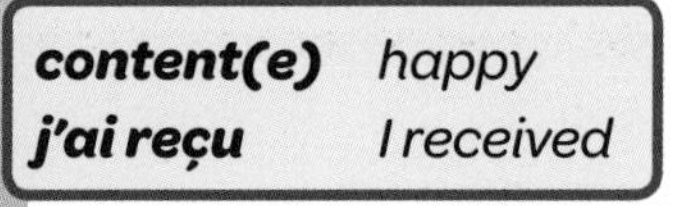

6 Écris un paragraphe pour Ryan ou Coralie. Adapte les textes de l'exercice 5 et utilise les informations suivantes.

1 Ryan
Next year – continue playing violin
One day – play in professional orchestra
Yesterday – received invitation to play violin in concert in London next week
Very happy!

2 Coralie
Next year – continue studying
Ambition changed – last year went to Paris and ...
... one day – would like to be music teacher in Paris
Working with children more important than being a celebrity

7 Prépare un mini exposé oral sur tes passetemps, tes projets et tes rêves.

- *Qu'est-ce que tu aimes faire?*
- *Tu vas continuer l'année prochaine? Pourquoi (pas)?*
- *Qu'est-ce que tu as fait l'année dernière? (ton meilleur souvenir, par exemple!)*
- *Qu'est-ce que tu voudrais faire un jour? Où voudrais-tu aller?*

Make sure you form each tense correctly (present, perfect and near future). If you are not sure, see page 106.

Look up any new words you need in a dictionary.

Bilan

Unité 1

I can ...

- ● talk about talent and ambitions: *Mon talent, c'est faire de la magie. Je veux être chanteur/chanteuse professionnel(le).*
- ☐ use infinitives: *Quel est ton talent? Danser? Chanter?*
- ☐ use the modal verb *vouloir*: *Je veux/On veut jouer de la guitare.*

Unité 2

I can ...

- ● encourage and persuade someone: *(Je ne peux pas.) Mais si, tu peux! Tu dois avoir confiance en toi.*
- ☐ use the modal verbs *pouvoir* and *devoir*: *Tu dois remplir la fiche. On peut répéter chez moi.*
- ● pronounce the sound *oi* correctly: *moi, toi, trois, fois, dois*

Unité 3

I can ...

- ● tell someone what to do: *Regarde la caméra et souris!*
- ● tell someone what not to do: *Ne fais pas ça!*
- ☐ Use the *tu* form imperative: *Éteins ton portable!*

Unité 4

I can ...

- ● talk about the best, the most and the least: *Il est le plus arrogant et le moins travailleur, mais il a la meilleure voix.*
- ☐ use superlative adjectives: *Il est le plus beau. Elles sont les moins motivées.*

Unité 5

I can ...

- ● talk about plans, dreams and wishes: *Un jour, je vais travailler en France. Je voudrais être médecin.*
- ☐ form different structures using the infinitive: *j'aime gagner/je veux gagner/je peux gagner/je dois gagner/je vais gagner/ je voudrais gagner*
- ☐ use three time frames: *J'ai beaucoup de talent et l'année dernière, j'ai fait un concert. La semaine prochaine, je vais participer à un concours de talents.*

Écoute et complète le tableau. (1–4)

	Talent	Past experience/Achievements	Ambition/Future plans
1 Nassim	Playing piano		
2 Mathilde			
3 Guillaume			
4 Yasmine			

En tandem. Fais le jeu de rôle.

- *Tu peux répéter pour le concours, ce soir?*
- 
- *Alors, tu peux répéter, demain soir?*
- *Ah, non, mes parents* [PARIS] *et je dois*  .
- *Alors, tu peux répéter quand?*
- l m me j v s d
- *OK, ça va. On va répéter où?*
-  *moi?*
- *D'accord. On va répéter chez toi. Tu penses qu'on va gagner le concours?*
- ✓ !

Lis les commentaires du juge et réponds aux questions.

Damien: Pour moi, tu es le meilleur chanteur. Mais tu es trop sérieux et tu n'as pas regardé la caméra. Et la prochaine fois, souris plus!

Camille: Tu as bien dansé. Mais jette ton chewing-gum: ce n'est pas professionnel! À mon avis, tu peux gagner le concours, si tu continues à travailler.

Élise: Je pense que tu es la moins travailleuse des candidats. Tu dois faire plus d'efforts. Sinon, tu vas devoir quitter le concours!

Laurent: Tu as beaucoup de talent, mais tu as chanté un peu faux. Et pense à ton costume: la prochaine fois, n'oublie pas ta casquette!

According to the judge's comments, who ...

1 is not trying hard enough?
2 is the best singer?
3 could win the competition?
4 needs to smile more?
5 forgot to wear an item of clothing?
6 sang a bit off key?
7 must not chew gum while performing?
8 will have to leave the competition if there is no improvement?

Copie et complète le paragraphe pour toi. (Invente les détails si tu veux.)

Mon talent, c'est ① ___. J'aime aussi ② ___, mais je déteste ③ ___. Mon ambition? Un jour, je ④ ___, mais d'abord, je dois ⑤ ___. L'année dernière, ⑥ ___ et l'année prochaine, je ⑦ ___. Je voudrais aussi ⑧ ___.

Think carefully about what is needed in each gap: just an infinitive? The near future tense? The perfect tense? ***Je voudrais*** *+ infinitive? Look at the time expressions for clues to tenses. You will need more than one word in some of the gaps.*

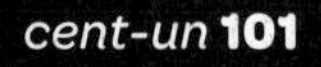

En plus: Tout sur *Nouvelle Star*

Écoute et lis. Trouve l'équivalent des expressions en anglais dans le texte.

Nouvelle Star est une des émissions les plus populaires en France. Son objectif est de trouver le meilleur nouveau chanteur ou la meilleure nouvelle chanteuse. Diffusée sur la chaîne M6 et présentée par Virginie Guilhaume, ce grand succès télévisuel a commencé en 2003.

Il y a trois étapes d'auditions. D'abord, 25 000 candidats environ se présentent aux auditions dans des villes partout en France. 150 candidats sont sélectionnés pour participer à des auditions au Théâtre de Paris. Là, ils doivent chanter devant un jury de cinq professionnels qui choisit 15 finalistes pour chanter en direct à la télé. Les téléspectateurs peuvent voter pour sauver leur candidat préféré.

Les précédents vainqueurs de Nouvelle Star sont:

Saison 1: Jonatan Cerrada
Saison 2: Steeve Estatof
Saison 3: Myriam Abel
Saison 4: Christophe Willem
Saison 5: Julien Doré
Saison 6: Amandine Bourgeois
Saison 7: Soan Faya
Saison 8: Luce Brunet

1 one of the most popular programmes
2 Its aim is to find ...
3 shown on channel ...
4 There are three stages of auditions.
5 are selected for ...
6 to sing live on TV
7 Viewers can vote to save their favourite contestant.
8 the previous winners

2 *Écrire*

Réponds aux questions. Écris des phrases complètes.

1 *Nouvelle Star* passe sur quelle chaîne?
2 Qui présente l'émission?
3 *Nouvelle Star* a commencé il y a combien d'années?
4 Il y a combien d'étapes d'auditions?
5 Combien de candidats sont sélectionnés pour la deuxième étape?
6 Qui choisit les 15 finalistes?
7 Qui doit voter et pourquoi?
8 Qui a gagné la cinquième saison de *Nouvelle Star*?

> ***il y a*** *has two meanings:*
> ***1*** *there is/are;* ***2*** *ago.*
> ***il y a combien d'années?***
> *= how many years ago?*

3 *Écrire*

Imagine que tu es finaliste de *Nouvelle Star*! Écris un e-mail à un copain/une copine. Utilise les informations suivantes.

- Say you are a finalist in *Nouvelle Star*. (*Je suis finaliste de ...*)
- Explain that, first of all, you went to the auditions in Toulouse.
- Then you sang at the second stage of auditions, at the Théâtre de Paris, where you sang in front of the jury.
- Say what it was like and how you felt. (*C'était/J'ai trouvé ça ...*)
- Tomorrow, you are going to sing live on TV!
- Ask your friend whether he/she is going to vote for you. (*Tu vas ... pour moi?*)

Lis le texte et complète les phrases en anglais. Utilise un dictionnaire, si nécessaire.

Quatre candidats de *Nouvelle Star*

Antoine a commencé à jouer de la guitare à l'âge de 18 ans afin de pouvoir reproduire ses chansons préférées. Comme tout bon Toulousain qui se respecte, le jeune homme est aussi un fan de rugby, sport qu'il pratique depuis plus de 20 ans.

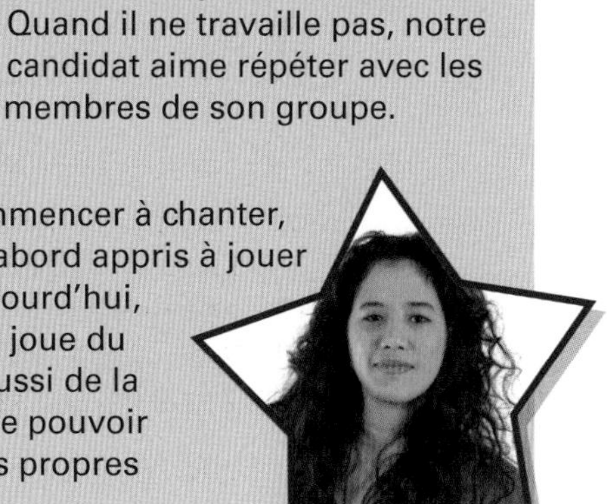

C'est en 1994 que Dalé a commencé à chanter, alors qu'il habitait au Rwanda. Dalé doit aussi sa passion pour la musique à son oncle qui lui a fait découvrir différents styles musicaux. Quand il ne travaille pas, notre candidat aime répéter avec les membres de son groupe.

Petite, María Paz aimait déjà chanter dans la chorale de son église. Fan de Michael Bublé, notre belle Chilienne aime découvrir de nouveaux styles musicaux. Même si sa famille est au Chili, María Paz pourra compter sur le soutien de son footballeur de petit ami!

Avant de commencer à chanter, Yasmina a d'abord appris à jouer du piano. Aujourd'hui, la demoiselle joue du piano mais aussi de la guitare afin de pouvoir composer ses propres chansons.

1 Antoine started playing ___ when he was ___.
2 He's also a fan of ___, which he's been playing for ___.
3 When she was little, María liked singing in ___.
4 Although her family is in Chile, she can count on the support of ___, who is a ___.
5 Dalé ___ in 1994, when he lived in Rwanda.
6 When he's not working, he likes ___.
7 Yasmina learned ___ before she started singing.
8 Today, she plays ___ and ___, so she can ___.

The texts in exercise 4 are from a French website, so don't expect to understand every word! Don't waste time looking up every word you don't know – look at what the task asks you to do and ignore what you don't need to understand.

Lis le texte. Copie et complète le profil de Christophe Willem.

Christophe Willem (vrai nom: Christophe Durier) est né le 3 août 1983, à Enghien-les-Bains, en France. Il est chanteur. Petit, il a appris à jouer du piano et il a aussi chanté dans une chorale. En 2006, il a gagné la quatrième saison de *Nouvelle Star*, sur M6. Il a enregistré deux albums: *Inventaire* (2007), et *Caféine* (2009). Il a vendu plus d'un million d'exemplaires de son premier album et il a été numéro un au hit-parade. En 2008, il est parti en tournée pour la première fois: en France, en Belgique, en Suisse, à l'Île de la Réunion et à l'Île Maurice. De caractère, Christophe est travailleur et déterminé. À l'avenir, il va enregistrer son nouvel album et repartir en tournée.

Nom: ....
Âge: ....
Pays d'origine: ....
Profession: ....
Instrument joué: ....
Discographie: ....
....
Succès: ....
....
Caractère: ....
Projets d'avenir: ....
....

6 Écris la biographie d'une autre star de la musique. Utilise le texte de l'exercice 5 comme modèle.

Studio Grammaire 1

Infinitives

The infinitive of a verb ends in ***–er***, ***–ir*** or ***–re***. It is the 'head of the family' and verbs are listed in the infinitive form in a dictionary. The infinitive of a verb often means 'to ...' or '...ing'.

Quel est ton talent? ***Jouer*** *de la guitare?* — What's your talent? **Playing** the guitar?
Je veux ***être*** *chanteur professionnel.* — I want **to be** a professional singer.

1 Complete the sentences with the correct infinitives. Be careful to choose the infinitives!

1 *Mon talent, c'est* ▬ *de la magie.*
2 *Quel est mon ambition?* ▬ *danseuse professionnelle!*
3 *Un jour, je veux* ▬ *du violon dans un orchestre.*
4 *Qu'est-ce que tu veux faire?* ▬ *la télé ou* ▬ *des magazines?*
5 *Mon passetemps préféré, c'est* ▬ *de la musique.*
6 *Mon ambition? Je veux* ▬ *avec mon idole, Justin Timberlake!*

écoute regarder lis lire joue chante suis écouter regardes être faire jouer chanter fait

Modal verbs

vouloir

See the Verb tables on page 129 for the modal verb ***vouloir*** (to want).
Modal verbs are normally followed by an infinitive:
Tu ***veux répéter*** *ce soir?* — Do you want to rehearse tonight?

2 Take one minute to memorise *vouloir*. Now test yourself! Choose the correct part of *vouloir* in each of these sentences. Then translate them.

1 *Tu voulez/veux/veulent participer au concours?*
2 *Mon frère veux/veut/voulez être musicien professionnel.*
3 *Nous voulons/voulez/veut aller en ville ce soir.*
4 *Je ne veut/voulons/veux pas danser avec toi.*
5 *Mes copains veulent/voulez/veux faire de la natation.*
6 *Vous veut/voulez/voulons répéter chez moi?*

devoir and *pouvoir*

devoir (to have to) and ***pouvoir*** (to be able to) are also modal verbs and are normally followed by an infinitive. See the Verb tables on page 129 for these verbs.

Tu ***peux jouer*** *au foot demain?* — Can you play football tomorrow?
Je ne ***peux*** *pas. Je* ***dois aider*** *mes parents.* — I can't. I have to help my parents.

3 Translate these sentences into French.

1 Can you (*tu*) rehearse this evening?
2 I have to do my homework.
3 We (*on*) must go to school.
4 They (*ils*) can play tennis tomorrow.
5 You (*vous*) must take part in the competition.
6 I can't go to the cinema.

The many uses of the infinitive

You can use infinitives:

- with *aimer*, *adorer*, etc. to express likes and dislikes:
  J'aime chanter. Je déteste chanter.
- with modal verbs:
  Je peux chanter. Je veux chanter. Je dois chanter.
- with *aller* to form the near future tense:
  Je vais chanter.
- with *je voudrais*, to express wishes:
  Je voudrais chanter.

4 Choose one of the infinitive phrases below and make as many sentences as possible, using the ideas above. Then translate your sentences.

jouer au foot | manger du chocolat | faire du judo | prendre des photos | sortir avec mes amis

The imperative

You use the imperative form of the verb to give advice, orders or instructions.

The *tu* form imperative

Use the *tu* form imperative to tell one person that you know well what to do.

Take the *tu* form of the verb and drop the *tu*.

Also drop the final ***–s*** from ***–er*** verbs:

jeter (to throw) → *tu jettes* → *Jette ton chewing-gum!* (Throw away your chewing-gum!)

Reflexive verbs and negatives

With reflexive verbs, add ***–toi*** after the verb:

se réveiller (to wake up) → *Réveille-toi!* (Wake up!)

To make an imperative negative, put ***ne … pas*** around the verb:

Ne fais pas ça! (Don't do that!)

5 Copy out these sentences, putting the verb in brackets into the *tu* form imperative.

1. (regarder) *le tableau!*
2. (faire) *plus d'efforts!*
3. (écouter) *le professeur!*
4. *N'*(oublier) *pas le fromage!*
5. *Ne* (manger) *pas trop de chocolat!*
6. (se préparer) *pour l'audition!*

Superlative adjectives

You use the superlative form of the adjective to say 'the most …' or 'the least …'. The superlative is made up of three parts:

le/la/les + ***plus/moins*** + adjective

The adjective ending must agree with the noun it refers to:

Il est le plus travailleur. He is the most hard-working.
Elles sont les plus ambitieuses. They are the most ambitious.

6 Write sentences using the superlative form of the adjective in brackets. The symbols tell you whether to use masculine, feminine, singular or plural.

Example: **1** Il est le plus beau.

1. *plus (beau)*
2. *plus (motivé)*
3. *moins (enthousiaste)*
4. *plus (travailleur)*
5.  *moins (paresseux)*
6. *plus (jaloux)*

Studio Grammaire 2

Past, present and future

Which tense to use?

- You use the **present tense** to describe what you (or other people) **do** or **are doing**. Remember to check if the verb is regular or irregular and use the correct endings.

D'habitude, je regarde la télé.	Usually, I watch TV.
Qu'est-ce que tu fais?	What are you doing?
Je regarde la télé.	I'm watching TV.

- You use the **perfect tense** to describe what you (or other people) **did** or **have done**. Check if the verb takes *avoir* or *être* and if the past participle is regular or irregular.

J'ai fini mon livre hier.	I finished my book yesterday.
<<Tu as fini?>> <<Oui, j'ai fini.>>	'Have you finished?' 'Yes, I've finished.'

- You use the **near future tense** to describe what you (or other people) **are going to do**. With any verb, use the present tense of *aller* (to go), followed by the infinitive.
  Le weekend prochain, je vais sortir avec mes amis.
  Next weekend, I'm going to go out with my friends.

For more information on verb tenses, check the Verb tables on pages 128–129.

1 Fill in the gaps in the text using the verbs below.

Normalement, le samedi matin, je (1) ___ les magasins avec mes amis. Après, on (2) ___ une pizza ou quelquefois, on (3) ___ au foot. Mais samedi dernier, j'ai fait quelque chose de différent: je (4) ___ au cinéma. J' (5) ___ un film de science-fiction. Ce n'était pas mal. Le film (6) ___ à 17h30, puis j' (7) ___ le bus et je (8) ___ chez moi à 19h. Samedi prochain, je (9) ___ à la maison. Le soir, Thomas, ma sœur et moi (10) ___ une comédie en DVD parce qu'on adore ça!

joue | a fini | suis allé | vais rester | ai vu | fais | allons regarder | suis arrivé | mange | ai attendu

2 Change the time frame of this text from the future to the past, by putting the underlined verbs into the perfect tense.
Example: L'année dernière, j'ai participé ...

Cette année, je <u>vais participer</u> à un concours de jeunes talents. D'abord, je <u>vais remplir</u> la fiche d'inscription en ligne et mon père <u>va faire</u> un clip vidéo de moi avec sa caméra. Ensuite, je <u>vais répéter</u> tous les jours et je <u>vais aller</u> à l'audition, en janvier. Mon père <u>va venir</u> aussi. Il <u>va regarder</u> l'audition et il <u>va prendre</u> des photos sur son portable.
Julie

> ! *Use the Verb tables on pages 128–129 to help you with verbs that you have not seen in the perfect tense before.*

3 Now imagine Julie takes part in the talent contest every year. Use the present tense.
Example: Tous les ans, je ...

Masculine, feminine, singular and plural

French words may have several forms, according to whether they are masculine or feminine, singular or plural. The table below shows the different forms.

	Singular		Plural	
	Masculine	**Feminine**	**Masculine**	**Feminine**
Nouns (examples)	chien sandwich copain	maison chemise copine	chiens sandwichs copains	maisons chemises copines
Subject pronouns (he, she, they)	il	elle	ils	elles
Definite article (the)	le (l')	la (l')	les	
Indefinite article (a/an, some)	un	une	des	
Adjectives (examples of patterns)	grand travailleur ambitieux	grande travailleuse ambitieuse	grands travailleurs ambitieux	grandes travailleuses ambitieuses
Possessive adjectives (my, your, his/her)	mon, ton, son	ma, ta, sa	mes, tes, ses	

(Masculine singular) ***Mon*** *frère est* ***grand****.* → (Feminine singular) ***Ma*** *sœur est grand****e****.*
(Masculine plural) ***Mes*** *frères sont grand****s****.* → (Feminine plural) ***Mes*** *sœurs sont grand****es****.*

4 Find and correct the mistakes. The number in brackets shows the number of mistakes to look for.

1 *Ma sœur est assez petit et amusant.* (2)
2 *Mon copain est une bon magicien et il est très patiente.* (2)
3 *Ton maison est joli et moderne et la jardin est assez grand.* (3)
4 *Thomas et Tariq sont intelligent et elles sont aussi travailleuses!* (3)
5 *Sa copine Marie et Sophie sont ambitieux et ils ont très bien travaillé.* (4)

5 Rewrite the sentences: change 1–4 from masculine to feminine and 5–8 from feminine to masculine.

1 *Il est impatient et arrogant.*
2 *Mon meilleur copain est très amusant.*
3 *Mon frère est intelligent, mais il est paresseux.*
4 *J'ai un ami qui est beau et gentil.*
5 *Ma meilleure copine est assez ambitieuse.*
6 *Elle est assez petite et très travailleuse.*
7 *Ta cousine est une bonne actrice.*
8 *La danseuse est grande et très belle.*

6 Rewrite these sentences, making all the pronouns and nouns plural. Remember to change the verbs and adjectives from singular to plural, too.

Example: **1** Ils portent des tee-shirts rouges et des vestes noires.

1 *Il porte un tee-shirt rouge et une veste noire.*
2 *Ton ami est le meilleur chanteur.*
3 *Ma sœur a acheté un livre et un stylo.*
4 *Le petit chien a mangé un hamburger. Il adore ça!*
5 *Le jeune élève est parti, mais le professeur est resté.*
6 *La jolie fille va faire un sandwich pour ton cousin.*

Vocabulaire

Le concours de talents • The talent contest

Mon/Notre talent, c'est ...	*My/Our talent is ...*
chanter	*singing*
danser	*dancing*
être pom-pom girl	*being a cheerleader*
faire de la magie	*doing magic*
jouer du piano/violon	*playing the piano/violin*
jouer de la guitare (électrique)	*playing the (electric) guitar*
Je veux être ...	*I want to be ...*
chanteur/chanteuse	*a singer*
danseur/danseuse	*a dancer*
guitariste	*a guitar player*
musicien/musicienne	*a musician*
magicien/magicienne	*a magician*
Je veux gagner le concours.	*I want to win the contest.*
J'ai déjà gagné un concours.	*I've already won a contest.*
un candidat/ une candidate	*a contestant*
célèbre	*famous*
une célébrité	*a celebrity*
une vedette	*a (TV/film/music) star*
participer (au concours)	*to take part (in the contest)*

Se préparer pour le concours • Getting ready for the contest

Je/Tu dois ...	*I/You must ...*
remplir la fiche d'inscription	*fill in the application form*
participer au concours	*take part in the contest*
faire un clip vidéo	*make a video clip*
répéter tous les jours	*rehearse every day*
aller à l'audition	*go to the audition*
avoir confiance en moi/toi	*be confident*
Je/Tu peux .../On peut ...	*I/You can .../We can ...*
répéter chez moi/toi	*rehearse at my/your place*
faire du babysitting	*babysit*
Je ne peux pas.	*I can't.*
Si, tu peux!	*Yes, you can!*
Je vais t'aider.	*I'll help you.*
Je dois faire mes devoirs./J'ai trop de devoirs.	*I must do my homework./I've got too much homework.*
Je n'ai pas de caméra.	*I don't have a camcorder.*

Donner des instructions et conseils • Giving instructions and advice

Chante plus fort!	*Sing louder!*
Enlève ton blouson!	*Take off your jacket!*
Éteins ton portable!	*Switch off your mobile phone!*
Fais plus d'efforts!	*Make more of an effort!*
Jette ton chewing-gum!	*Throw away your chewing gum!*
Regarde la caméra!	*Look at the camera!*
Souris!	*Smile!*
Réveille-toi!	*Wake up!*
Ne fais pas ça!	*Don't do that!*
N'oublie pas ta casquette!	*Don't forget your cap!*
Change ton attitude!	*Change your attitude!*

Qui est le meilleur? • Who's the best?

Je pense que/qu' ...	*I think that ...*
Il/Elle est ...	*He/She is ...*
le/la plus ...	*the most ...*
le/la moins ...	*the least ...*
ambitieux/ambitieuse	*ambitious*
arrogant(e)	*arrogant*
beau/belle	*good-looking*
modeste	*modest*
passionné(e)	*passionate*
professionnel(le)	*professional*
sûr de lui/sûre d'elle	*confident*
travailleur/travailleuse	*hard-working*
le meilleur/la meilleure	*the best*
Il/Elle a ...	*He/She has ...*
le plus de talent	*the most talent*
la plus belle voix	*the nicest voice*
Il/Elle a chanté faux/juste.	*He/She sang off key/ in tune.*

Les rêves et les ambitions • Dreams and ambitions

J'aime gagner.	*I like winning.*
Je dois gagner.	*I must win.*
Je peux gagner.	*I can win.*
Je veux gagner.	*I want to win.*
Je voudrais gagner.	*I'd like to win.*
Je vais gagner.	*I'm going to win.*
le gagnant/la gagnante	*the winner*
un jour	*one day*
content(e)	*happy*

Les mots essentiels • *High-frequency words*

déjà	*already*
si	*if*
si	*yes (when contradicting someone)*
Tu as raison.	*You're right.*
Tu as tort.	*You're wrong.*
D'accord?	*OK?*
plus	*more*
moins	*less*
À mon avis, ...	*In my opinion, ...*
Pour moi, ...	*For me, ...*

Stratégie 5

More learning by doing

Here are some more tips on how to learn vocabulary:

- **Sing or rap your list of words.** Use the tune of a popular song.
- **Say your words to the family pet.** They won't tell you off for making a mistake and they may get bored, but they will listen.
- **Beat the clock.** Use the cards you've made to see how many words you can say, translate or write correctly in one minute.
- **Play pictionary with a friend.** Draw a word for them to guess. They have to say the word correctly in French. See who gets the most right.

Turn to page 130 to remind yourself of the *Stratégies* you learned in *Studio 1*.

French is spoken in all corners of the world. Do you know why?
In which of these countries do you think French is not spoken?

a Canada
b Java
c the USA
d Mali

Colonies of the French empire

Dr Joseph Ignace Guillotin invented the guillotine in 1789. It was designed to be the quickest and most humane way of executing people. It was first used in 1792. It was last used in 1977. The death penalty in France was abolished in 1981.

Marie-Antoinette was queen of France in 1789 at the beginning of the French Revolution. When told that the peasants were revolting because they didn't have bread to eat, she is said to have replied, 'Let them eat cake!' (*Qu'ils mangent de la brioche!*). *Brioche* is a sweeter, richer bread, made with eggs and butter ...

The motto of France is *Liberté, Égalité, Fraternité* ('Liberty, Equality, Brotherhood'). What does that mean to you? Do you think it's a good slogan?

The French flag is called the *tricolore*. Why do you think that is? Do you know what the colours represent? How old do you think the French flag is?

The *fleur de lys* is a lily flower, traditionally used to represent French royalty.
Have you ever seen it before? If so, where?

In France, people give out sprigs of lily of the valley (*muguet*) on May Day, which is also known as Labour Day. This is done to mark the beginning of spring and to bring luck.

1 Le monde et les pays francophones

World geography and French-speaking countries

1 Regarde la carte. Écoute et lis le texte.

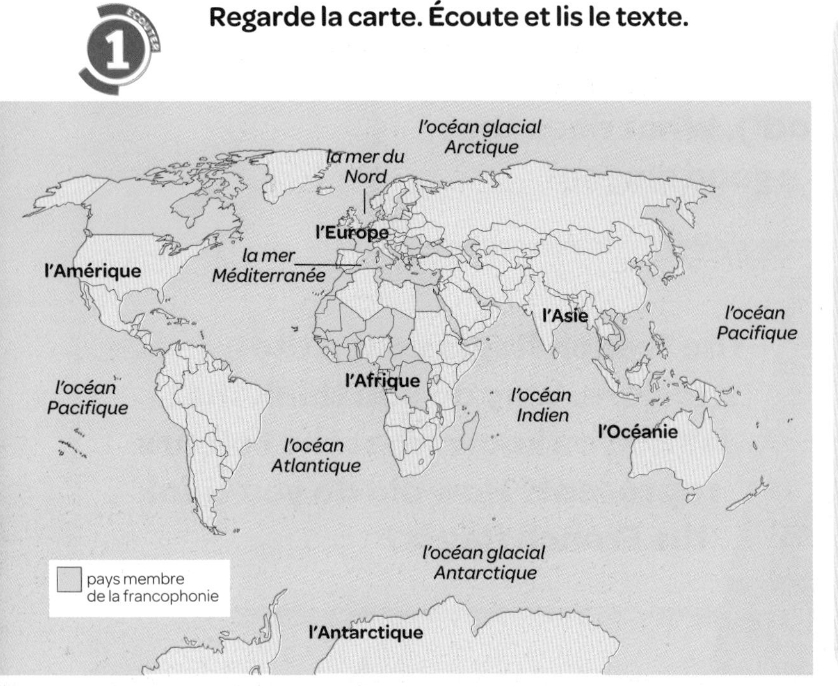

La géographie est l'étude des continents, des pays, des mers et des océans qui existent sur notre planète.

Les six continents sont l'Afrique, l'Europe, l'Océanie, l'Amérique, l'Asie et l'Antarctique. On parle français sur tous les continents à l'exception de l'Antarctique.

Les océans recouvrent 71 pour cent de la surface de la Terre. On compte cinq océans: l'océan Pacifique, l'océan Atlantique, l'océan Indien, l'océan glacial Arctique et l'océan glacial Antarctique.

Il y a beaucoup de climats différents dans le monde. Les principaux types de climats sont le climat tropical (avec une saison sèche et une saison humide, et souvent avec des moussons), le climat désertique (qui est sec et chaud), le climat tempéré (avec des étés frais et des hivers doux) et finalement, le climat polaire (qui est très froid). Les climats sont caractérisés par la quantité de précipitations, les températures et le nombre d'heures de soleil.

Notre Terre est très belle et très variée. On trouve toutes sortes de paysages du nord au sud, de l'ouest à l'est: des forêts de conifères et des forêts équatoriales, des déserts, des savanes, de grandes plaines, des volcans, des montagnes, des lagunes, de jolies plages, des rivières, des lacs …

la mousson	*monsoon*
la plaine	*prairie*

2 En tandem. Lis le texte à voix haute et joue au <<bip>>!

Exemple:

- *La géographie est l'étude des continents, des pays, des [bip] …*
- *mers!*
- *Exact!*

3 Relis le texte. Note vrai (V) ou faux (F).

1. Il y a six continents.
2. L'Arctique n'est pas un continent.
3. On parle français en Antarctique.
4. Les continents recouvrent soixante-et-onze pour cent de la surface de la Terre.
5. Tous les climats du monde sont similaires.
6. Les paysages sont identiques du nord au sud.

4 À trois. Fais une liste des mots apparentés dans le texte de l'exercice 1.

Work in threes. Make a list of all the cognates in the text in exercise 1.

Exemple: la géographie – geography

In your group, identify new words in the text that aren't cognates. Discuss which other reading strategies you could use to work these out.

- Look at pictures for clues.
- Use your knowledge of the subject.
- Use a dictionary or the vocabulary list.
- Use common sense.
- Work out what type of word it is: adjective, noun, verb, etc.
- Use the context.

Even though you might not have met a lot of the words before, you can use your prior knowledge of geography to work out what this text means! You will also have met many of the French words and phrases before, e.g. weather vocabulary, adjectives, points of the compass.

Copie la carte d'identité (x 2). Écoute et remplis la carte pour la Martinique et le Cambodge. (1-2)

Pays francophone: la Martinique ....
Ce pays se trouve en: ....
Paysages: ....
En été: ....
En hiver: ....
Si vous allez visiter ce pays, il faut emporter:
....

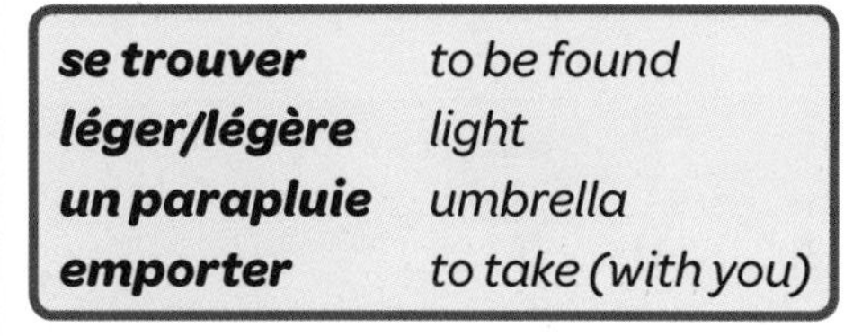

se trouver	*to be found*
léger/légère	*light*
un parapluie	*umbrella*
emporter	*to take (with you)*

Choisis l'un de ces deux pays francophones. Prépare un exposé oral.

A

le Canada: Amérique du Nord
Paysages: de grandes prairies, des forêts et dans le nord, la toundra
En été: beau, soleil, assez chaud, un peu de vent
En hiver: très froid, neige beaucoup
Il faut emporter: en été, jean, tee-shirt, pull; en hiver, skis!

B

le Liban: Asie, entre la Syrie au nord et à l'est et Israël au sud
Paysages: des montagnes, des fleuves, des cascades, des plaines fertiles, des plages
En été: beau, soleil, assez chaud
En hiver: un peu froid, neige dans les montagnes
Il faut emporter: en été, vêtements légers; en hiver, manteau

Pour mon exposé de géographie, comme pays francophone, j'ai choisi …
J'ai fait des recherches en ligne et j'ai appris plein de choses!
En/Au/Aux … on parle français.
… se trouve en …
J'ai étudié la géographie du pays.
On trouve toutes sortes de paysages en/au/aux …
Il y a des …
En été, il fait …
En hiver, …
Si vous allez visiter …, il faut emporter …

7 Choisis un pays francophone. Fais des recherches et crée la carte d'identité de ton pays.

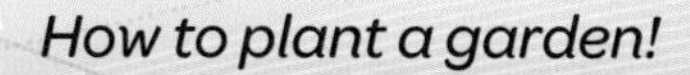

How to plant a garden!

1 Trouve la bonne légende pour chaque image.

Qu'est-ce qu'il faut faire pour créer un jardin potager?

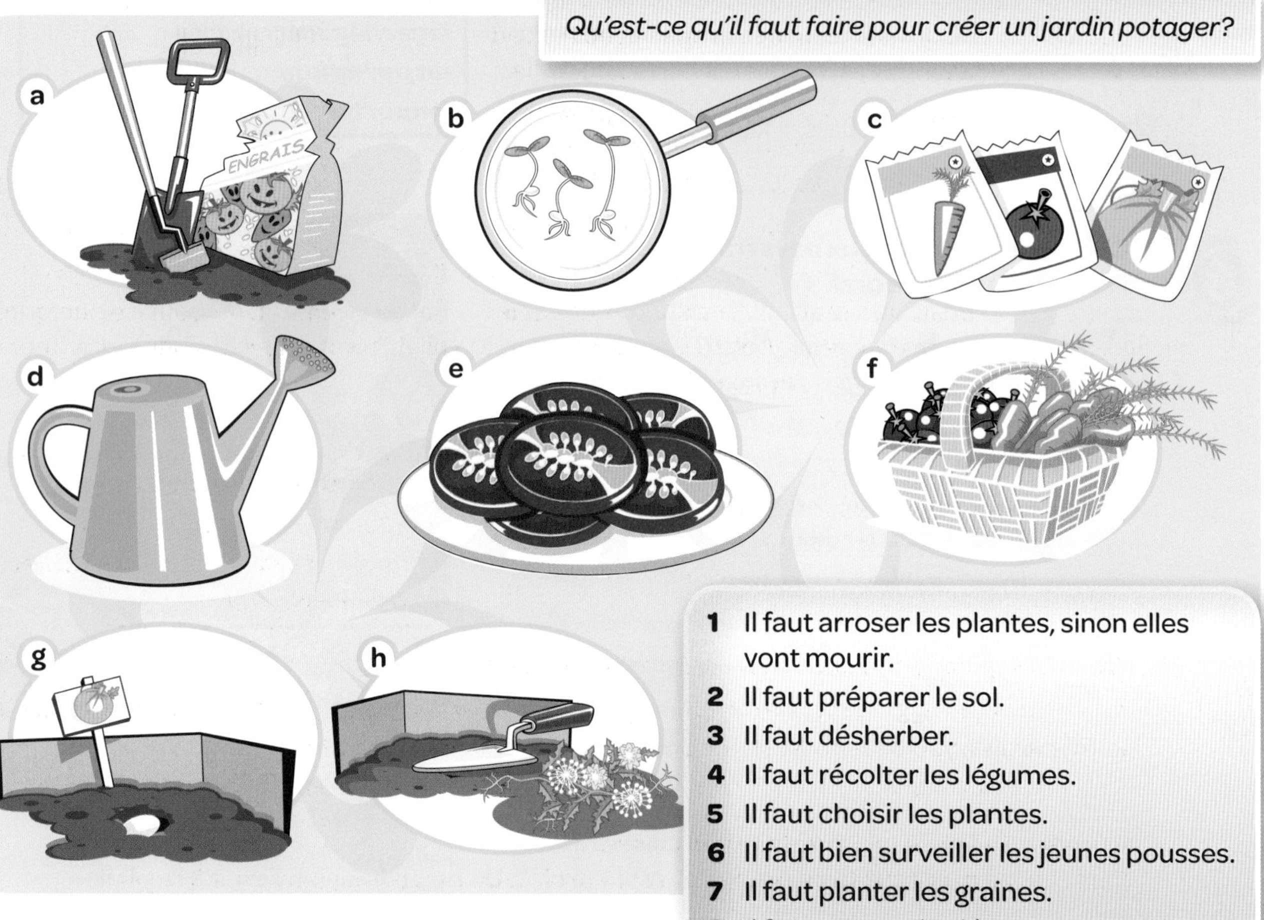

1 Il faut arroser les plantes, sinon elles vont mourir.
2 Il faut préparer le sol.
3 Il faut désherber.
4 Il faut récolter les légumes.
5 Il faut choisir les plantes.
6 Il faut bien surveiller les jeunes pousses.
7 Il faut planter les graines.
8 Il faut manger les légumes.

2 **À trois. Décris comment créer un jardin potager. Mets les étapes dans le bon ordre. Utilise ces expressions de temps.**

Exemple: ● *Eh bien, d'abord ... il faut choisir les plantes.*

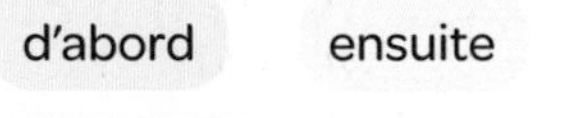

d'abord | ensuite | et | puis | tout le temps | tous les jours | au bout de quelque temps | finalement

3 **Écoute et vérifie.**

4 **Décris ce que tu as fait au passé composé.**

Exemple:

Pour créer mon jardin potager, d'abord, **j'ai choisi** les plantes, ensuite, **j'ai préparé** le sol ...

When you come across new vocabulary, try to use it in another context, too. Here you are learning infinitives with ***il faut****. To improve your fluency, show that you can use these verbs in a different way. For example, show that you can use the perfect tense or the near future tense of the same verbs. Have a look at the Verb tables on pages 128–129.*

5 Lis le texte et remplis les blancs.

Pour **1** ___ ton bonhomme avec des cheveux en cresson, il te faut un coquetier et une coquille d'œuf vide. Tu peux te **2** ___ une omelette ou des crêpes avec tes œufs! Attention, il faut bien **3** ___ la coquille.

D'abord, il faut **4** ___ un visage sur la coquille: deux yeux, un nez, une bouche, une barbe si tu veux et des lunettes, peut-être.

Ensuite, il faut **5** ___ la coquille dans le coquetier et du coton dans la coquille vide.

Il faut **6** ___ de l'eau et puis, sur le coton, il faut **7** ___ les graines de cresson.

Ensuite, il faut **8** ___ patiemment et **9** ___ attentivement. Au bout de quelque temps, les cheveux vont **10** ___ à pousser! Et voilà! Tu vas pouvoir jouer au coiffeur et couper ses cheveux avec des ciseaux!

ajouter · attendre · commencer · créer · dessiner · faire · laver · mettre · observer · semer

un bonhomme *= une personne*
cresson *= une plante*
un coquetier *= une petite coupe pour les œufs*
semer *= planter*

6 Trouve l'équivalent de ces expressions dans le texte.

1. you need an egg cup and an empty egg shell
2. Be careful, you have to wash the shell well.
3. glasses perhaps
4. you must sprinkle the cress seeds
5. after a while
6. You'll be able to play at being a hairdresser.

7 À quatre. Prépare un projet pour la classe.

Explique ce qu'il faut faire pour réaliser le projet. Un peu d'imagination, s'il te plaît!

Pour créer ton/ta ...
Il te faut ...
D'abord, il faut ...
Ensuite, ...
Puis ...

In your group, brainstorm what you might make. Try to choose something you are all interested in. When you start to write your instructions in French, look up any new vocabulary you might need and try to keep it simple. Use the key language supplied to the left.

8 Juge les idées des autres groupes. Donne une note sur six.

J'ai beaucoup aimé l'idée du groupe qui a créé ... parce que ...
Je n'ai pas aimé l'idée du groupe qui a fabriqué ... car ...
On voudrait donner (cinq) sur six au groupe qui a expliqué comment faire ...

3 La Révolution française

The French Revolution

1 **Lis le texte et mets les images dans l'ordre du texte.**

c

La fête nationale de la France, c'est le quatorze juillet, le jour de la fête de la liberté.

C'est le jour où, en 1789, les Parisiens ont pris la Bastille, qui était une grande forteresse à Paris, un symbole de la monarchie. Les Parisiens sont venus chercher des armes et ont aussi fini par libérer quelques prisonniers. La victoire était importante parce que c'est le point de départ de la Révolution française. Aujourd'hui, c'est un jour férié en France. Traditionnellement, à Paris, il y a un défilé militaire sur les Champs-Élysées. Partout en France, on regarde des feux d'artifice et ensuite, il y a des bals ou des concerts.

2 **Relis le texte et termine les phrases en anglais.**

1. The French national holiday is on the ...
2. On this day in 1789, the people came to the Bastille to get ...
3. This event sparked ...
4. Traditionally in Paris, there is ...
5. Throughout France, people watch ...
6. Afterwards, there are ...

3 **En tandem. Tu vas écouter et lire un texte où une aristocrate parle de sa vie et de sa routine avant la Révolution française. Essaie de prédire le vocabulaire que tu vas entendre (des noms, des verbes, des adjectifs, etc.).**

In pairs. You are going to listen to and read a text in which an aristocrat talks about her life and her daily routine before the French Revolution. Try to predict the vocabulary that you will hear (nouns, verbs, adjectives, etc.).

la routine | les vêtements | la nourriture | les passetemps

En France

In 1789, King Louis XVI and his wife Marie-Antoinette were very unpopular in France. They were seen as greedy and excessive. Many people were critical of the monarchy and the life they led. The government was inefficient; the people had nothing to eat and were forced to pay large taxes. It was this situation that led to the storming of the Bastille on the 14th July, which sparked the Revolution.

4 Écoute et lis ce texte où une aristocrate parle de sa vie. Copie et remplis le tableau.

	Present references	Past references	Future references
Verbs	je me lève		
Time markers			
Sequencers			

Normalement, je me lève vers dix ou onze heures du matin. Je me lève tard parce que je me couche tard! D'abord, je prends mon petit déjeuner au lit. D'habitude, je mange de la brioche et je bois un thé. Ensuite, je me prépare dans ma chambre. Mes femmes de chambre m'aident à m'habiller. L'une me coiffe et l'autre me maquille. Je porte une robe en soie avec des chaussures en daim. J'adore les chaussures. Les vêtements, c'est ma passion!
Quelquefois, je fais de l'équitation dans le parc ou bien, je fais des promenades. Plus tard, je fais un peu de lecture ou je joue aux échecs par exemple, ça dépend. Je joue du piano tous les jours parce que j'adore ça. Et je joue bien!
Hier après-midi, j'ai discuté avec mes amies, on a parlé de musique et de vêtements. Puis le soir, j'ai dîné au château de Versailles avec le Roi. Nous avons mangé des cailles avec des pommes de terre. Comme dessert, nous avons mangé des éclairs au chocolat. C'était délicieux! Après le dîner, nous avons pris notre calèche et nous sommes allés à l'opéra. C'était merveilleux.
Demain, je vais aller à la chasse. J'aime aller à la chasse parce qu'on voit beaucoup d'animaux. Je ne chasse pas, mais je regarde et je trouve que c'est amusant. S'il pleut, je ne vais pas sortir. Quand il fait mauvais, je préfère rester à l'intérieur.
Le soir, nous allons dîner et après, nous allons danser et écouter de la musique. J'aime beaucoup danser. Cela me rend joyeuse!

des chaussures en daim	*suede shoes*
des cailles	*quails*
notre calèche	*our carriage*
la chasse	*hunting*

5 **En tandem. Décris la vie de la jeune aristocrate.**

Exemple:

- *Normalement, elle ...*
- *Hier, elle a ...*
- *Demain, elle va ...*

6 **Écoute le gentilhomme qui parle de sa journée. Note les informations en anglais.**

7 **Imagine que tu es un paysan ou une paysanne. Décris ta vie avant la Révolution.**

- Plan your work in three paragraphs.
- Add as much detail as you can to your answers.
- Use a spider diagram to plan the content of each paragraph.

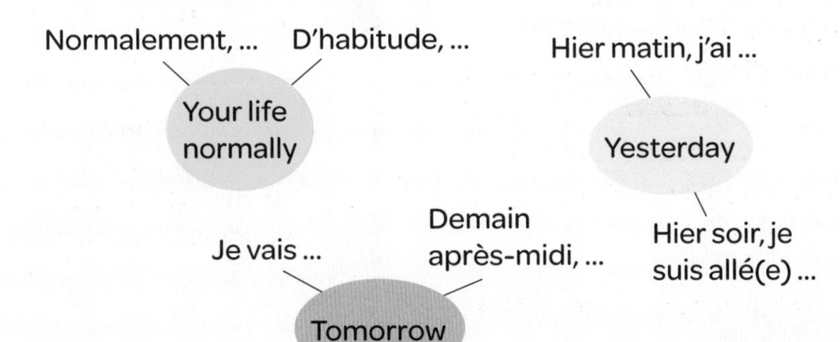

Brainstorm all the vocabulary you know about daily routine and activities. Decide which words and phrases might be appropriate for a penniless peasant.

If you wish, you can compare your life to that of an aristocrat.

For example:

Marie-Antoinette fait de l'équitation dans le parc, mais moi, je ...

Hier, elle a mangé des cailles. Moi, hier, j'ai mangé ...

Lis le texte et note vrai (V) ou faux (F).

Moi, je regarde beaucoup de films, mais je ne vais jamais au cinéma. Avec mes copains, on préfère regarder les films en DVD, à la maison.

Mon acteur préféré, c'est Robert Pattinson. Je suis méga fan! Il est cool. J'adore les films fantastiques. J'ai une passion pour les vampires! Et en plus, Robert Pattinson est musicien.

Laëtitia

1 Laëtitia va au cinéma tous les weekends.
2 Elle aime regarder des DVD avec sa famille.
3 Elle aime beaucoup Robert Pattinson.
4 Laëtitia est fan de films fantastiques.
5 Elle déteste les vampires.
6 Robert Pattinson est magicien.

Lis les textes. Copie et remplis les cartes d'identité.

Charlie	J'aime bien les émissions de sport comme *Téléfoot* et j'adore aussi les séries américaines, mais je n'aime pas les documentaires. Mon émission préférée, c'est *Ma famille d'abord*. Je ne regarde jamais les émissions de télé-réalité parce que c'est ennuyeux.
Ange	Moi, j'adore les dessins animés et j'aime bien les émissions de télé-réalité. Mon émission préférée, c'est *Super Nanny*. Ça passe sur M6. C'est génial. J'aime bien aussi les émissions musicales, mais je n'aime pas les émissions de sport et je ne regarde jamais les jeux télévisés comme *La Carte aux trésors* parce que je trouve ça nul.

Prénom: Charlie
Adore: ...
Aime bien: ...
N'aime pas: ...
Ne regarde jamais: ...
Émission préférée: ...

Prénom: Ange
Adore: ...
Aime bien: ...
N'aime pas: ...
Ne regarde jamais: ...
Émission préférée: ...

Imagine que tu es Matéa. Écris un texte sur tes préférences.

Prénom: Matéa
Adore: les séries policières; chouette
Aime bien: les jeux télévisés, les infos; génial
N'aime pas: les émissions musicales; stupide
Ne regarde jamais: la météo; barbant
Émission préférée: la série *Engrenages*; super

Mets les débuts de phrases dans le bon ordre. Ensuite, complète les phrases selon tes préférences.

Put the sentence beginnings into the correct order. Then complete the sentences according to your own preferences.

1 comédies, J'aime comme ... les
2 acteur préféré, Mon c'est ...
3 parce fan Je cet de acteur suis que ...
4 film Mon s'appelle ... préféré
5 J' film c'est ... adore car ce
6 moi, regarde et on copains des ... Mes
7 Mes n' parents pas les ... aiment

Lis l'interview et remplis les blancs.

- *Qu'est-ce que tu as ① ▬▬ hier soir?*
- *Hier soir? Alors, ② ▬▬, j'ai surfé sur Internet.*
- *Et puis, qu'est-ce que tu as fait?*
- *Puis j'ai ③ ▬▬ mon émission préférée à la télé. Je ne rate jamais cette émission ④ ▬▬.*
- *Qu'est-ce que tu as fait après le ⑤ ▬▬?*
- *J'ai joué au Scrabble avec ma ⑥ ▬▬ et j'ai gagné, comme d'habitude!*
- *Qu'est-ce que ⑦ ▬▬ as fait avant de te coucher?*
- *Avant de me coucher, j'ai dévoré le dernier roman de Rick Riordan. J'adore ses ⑧ ▬▬, ils sont supers.*

livres | d'abord | sœur | musicale | tu | regardé | dîner | fait

Lis les textes. Copie le tableau. Mets les images dans la bonne colonne.

Salut!

Quand je suis connecté, je fais beaucoup de choses.

D'habitude, je fais des recherches pour mes devoirs. Je trouve ça pratique et intéressant. Quelquefois, je joue à des jeux en ligne, mais je ne vais jamais sur des blogs ou des forums parce que mes parents ne veulent pas. Je trouve que c'est injuste. Hier soir, j'ai un peu surfé sur Internet et puis j'ai regardé des clips vidéo. Je crois que je suis un internaute typique.

Baudouin

Coucou!

Moi, je fais beaucoup de choses quand je suis connectée.

D'habitude, je mets à jour ma page perso et je vais sur mes sites préférés. Quelquefois, je lis des blogs ou je fais mes achats en ligne, je trouve ça formidable. Mais je ne joue jamais à des jeux en ligne car c'est ennuyeux. Hier soir, j'ai posté des photos, j'ai tchatté sur MSN et ensuite, j'ai téléchargé des chansons.

Katy

a b

	D'habitude	Quelquefois	Hier soir
Baudouin	*j*		
Katy			

c

d

e

f g

h

i j

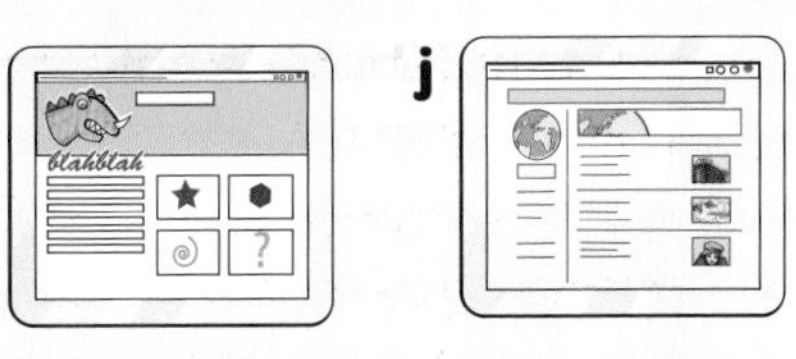

k

Écris deux textes pour les blogs de Manu et de Mathilde.

Exemple:

Salut! Quand je suis connecté, je fais beaucoup de choses. D'habitude, je tchatte sur MSN avec mes copains ...

	D'habitude	Quelquefois	Hier soir
Manu	*e*	*d, a, j*	*i*
Mathilde	*b, c*	*h, g*	*k, f*

Lis les cartes postales. Pour chaque image, écris Abel, Candice ou Rémi.

Paris, c'est fantastique! Je n'ai pas visité Notre-Dame, mais j'ai visité la tour Eiffel. J'ai fait la queue pendant trente minutes et j'ai rencontré une jolie fille qui s'appelle Marie! Après, j'ai mangé un hamburger ... avec Marie!
Tu es jaloux?
Ton copain,
Abel

Je suis à Paris! Le 14 juillet, j'ai regardé le défilé et j'ai pris des photos. Hier, j'ai visité le musée du Louvre et j'ai vu la Joconde. La visite a fini à deux heures et demie et puis j'ai bu un coca à la cafétéria du musée.
Bisous,
Candice

J'adore Paris! Avant-hier, j'ai fait une balade en bateau-mouche et ensuite, j'ai acheté des souvenirs pour ma famille. Hier, j'ai regardé le feu d'artifice du 14 juillet, puis j'ai envoyé des cartes postales à tous mes amis.
À bientôt,
Rémi

1 2 3 4 5 6 7 8

2 Relis les cartes postales. Note vrai (V), faux (F) ou pas mentionné (PM).

1 Abel visited Notre-Dame cathedral.
2 He had to queue for 30 minutes at the Eiffel Tower.
3 Marie doesn't live in Paris.
4 Abel and Marie had something to eat together.
5 Candice and Rémi both visited Paris in July.
6 Candice saw the *Mona Lisa* in the Louvre Museum.
7 She finished visiting the Louvre at 10.30.
8 Rémi sent postcards to his family.

3 Copie et complète le blog.

Je suis en vacances à Paris et je m'amuse bien!

Lundi dernier, c'était la fête nationale et … . J'ai trouvé ça génial! Le soir, … et … avec mes copains. Mardi, … , mais … . Puis mercredi, j'ai visité le Centre Pompidou: … , c'était assez ennuyeux. Après, … , mais … parce que c'était trop cher. Hier, … et … .

Remember, verbs in the perfect tense have two parts. For example: ***j'ai mangé****.*

Lis et complète le blog de Nassim. Utilise les verbes ci-dessous.

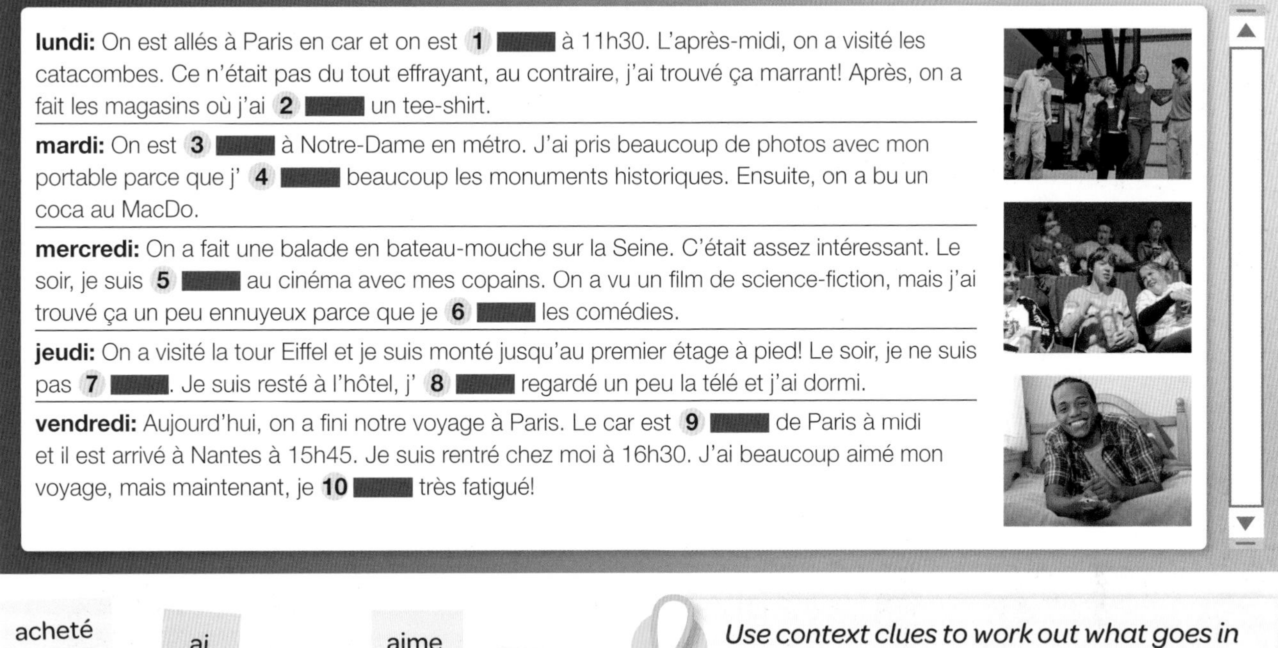

lundi: On est allés à Paris en car et on est **1** ▬ à 11h30. L'après-midi, on a visité les catacombes. Ce n'était pas du tout effrayant, au contraire, j'ai trouvé ça marrant! Après, on a fait les magasins où j'ai **2** ▬ un tee-shirt.

mardi: On est **3** ▬ à Notre-Dame en métro. J'ai pris beaucoup de photos avec mon portable parce que j' **4** ▬ beaucoup les monuments historiques. Ensuite, on a bu un coca au MacDo.

mercredi: On a fait une balade en bateau-mouche sur la Seine. C'était assez intéressant. Le soir, je suis **5** ▬ au cinéma avec mes copains. On a vu un film de science-fiction, mais j'ai trouvé ça un peu ennuyeux parce que je **6** ▬ les comédies.

jeudi: On a visité la tour Eiffel et je suis monté jusqu'au premier étage à pied! Le soir, je ne suis pas **7** ▬. Je suis resté à l'hôtel, j' **8** ▬ regardé un peu la télé et j'ai dormi.

vendredi: Aujourd'hui, on a fini notre voyage à Paris. Le car est **9** ▬ de Paris à midi et il est arrivé à Nantes à 15h45. Je suis rentré chez moi à 16h30. J'ai beaucoup aimé mon voyage, mais maintenant, je **10** ▬ très fatigué!

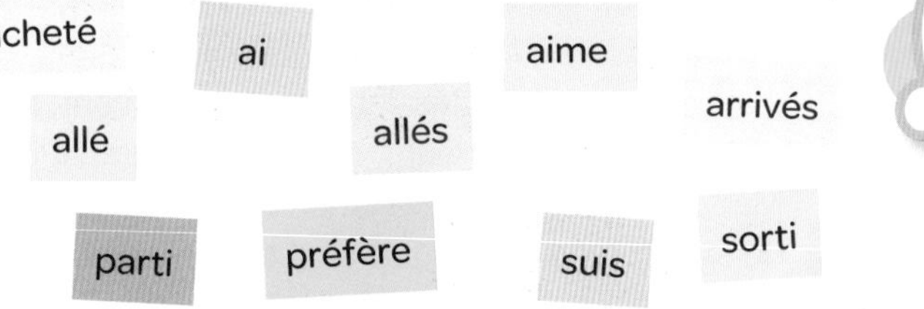

Use context clues to work out what goes in each gap and think grammatically! Does the gapped verb have to be part of ***avoir*** *or* ***être*** *to make the perfect tense? Is it a past participle? Is it a present tense verb?*

Écris les mots dans le bon ordre pour faire des questions. Puis réponds aux questions pour Nassim (voir l'exercice 1).

Write the words in the correct order to make questions. Then answer the questions for Nassim (see exercise 1).

1 à arrivé heure? es Paris à Tu quelle
2 acheté? as tu que Qu'est-ce
3 à allé es comment? Notre-Dame Tu
4 qui? Tu allé au es avec cinéma
5 allé Tu où, jeudi? es
6 que sorti, Est-ce tu es soir? jeudi
7 Tu de parti es quand? Paris
8 Paris? resté Tu de es temps combien à

Invente trois autres questions pour Nassim.

Exemple: Qu'est-ce que tu as visité, lundi?

Imagine que tu as passé cinq jours à Paris ou dans une autre grande ville. Écris ton blog.

Imagine that you have spent five days in Paris or another city. Write your blog.

Include:

- a range of *avoir* and *être* verbs: *j'ai regardé/fait* (etc.); *je suis allé(e)/resté(e)* (etc.)
- *on*, as well as *je*: *on a visité/vu* (etc.); *on est allés/partis* (etc.)
- opinions and qualifiers: *c'était/j'ai trouvé ça très/assez/un peu ...*
- connectives: *mais, où, car, parce que, alors, donc, puis.*

To reach a higher level, add examples of the present tense, for example by giving reasons for things: *car j'aime/je n'aime pas/je préfère/j'ai une passion pour ...*

Lis les textes. Copie et remplis le tableau.

	Artist	Opinion	Other details
Quentin			
Guillaume			
Gabrielle			

Moi, j'aime beaucoup la musique de Katy Perry parce que j'adore les paroles et les mélodies. Ça me donne envie de danser et de chanter. Et en plus, elle est très belle, Katy Perry.
Guillaume

La musique, c'est ma passion. Je télécharge des chansons tous les jours. Hier, par exemple, j'ai téléchargé le dernier album de Metallica parce que c'est mon groupe préféré. J'écoute du métal parce que j'adore ça. Je n'aime pas du tout la musique de Lily Allen. À mon avis, c'est nul.
Quentin

Je suis fan de Diam's. J'adore sa chanson *Ma France à moi* parce que j'aime bien les paroles. J'aime aussi son look et je crois qu'elle est gentille et intelligente. Je déteste la musique de Michael Bublé. Pour moi, il est nul, mais ma sœur adore sa musique. Moi, je n'aime pas les paroles.
Gabrielle

Lis le texte et écris les bonnes lettres dans le tableau.

Normalement	Ce weekend

J'ai un style plutôt classique et normalement, pour aller au collège, je porte un jean, un tee-shirt blanc et des bottes. Mais ce weekend, on va jouer au foot, alors je vais porter un short orange et un tee-shirt bleu avec des baskets.
Mélanie

Écris un paragraphe pour chaque personne.

Exemple:

Je m'appelle Jade. J'ai un style plutôt décontracté et normalement, pour aller au collège, je porte un tee-shirt bleu, ...

	Style	Normalement	Ce weekend
Jade	*décontracté*	*b, h, l, j*	*d, i, k*
Louna	*classique*	*b, l, o*	*f, m, h, n*
Xavier	*skateur*	*b, m, k*	*a, g, l*
Axel	*sportif*	*b, h, k, m*	*e, l, o*

Lis le texte. Mets les titres dans l'ordre du texte.

Je m'appelle Mila et j'ai quatorze ans. J'habite à Paris avec ma mère et mon petit frère. J'aime beaucoup Paris parce qu'il y a beaucoup de choses à faire. Je suis intelligente et je suis très gentille, mais je ne suis pas arrogante. Je suis assez drôle et je pense que je suis optimiste. Je parle français et un peu espagnol.

Je passe des heures à regarder la télé et à parler avec mes copines. Hier soir, on a regardé ensemble le dernier épisode de notre série préférée à la télé. C'était triste!

Quand il fait beau, on va en ville et on fait les magasins parce que mes copines adorent ça. On essaie des vêtements et on rigole. On parle de célébrités et de musique ensemble, mais on ne parle jamais de sport parce que c'est barbant.

Ma meilleure amie s'appelle Chloé. Elle est rigolote mais un peu pénible par moments. Elle adore les comédies et elle a une passion pour la musique classique. Elle aime aussi le patinage artistique. Sa chanteuse préférée, c'est Lady Gaga car elle pense qu'elle est intéressante, qu'elle chante et danse bien. L'été prochain, on va voir un concert de Lady Gaga. Ça va être génial.

- **a** What Mila's best friend is like
- **b** The languages Mila speaks
- **c** What Mila does when the weather's nice
- **d** What Mila and her friend will do next summer
- **e** What Mila is like
- **f** What Mila did yesterday evening
- **g** Where Mila lives
- **h** What Mila talks about with her friends

Relis le texte. Pour chaque titre note des informations supplémentaires en anglais.

Re-read the text. For each heading, note additional details in English.

Exemple: **a** funny but a bit annoying at times

Imagine que tu es Stéphane ou Stéphanie. Écris un article sur ta passion.

prénom: Stéphane
passion: le rugby
frère: cool, casse-pieds
meilleur copain: Louis: rigolo, débrouillard, intelligent
normalement: les matchs de rugby à la télé
hier: un bon match
cet été: la finale de la Coupe d'Europe au Stade de France

prénom: *Stéphanie*
passion: *le ballet*
sœur: *cool, optimiste, pénible*
meilleur copine: *Anaïs: adorable, patiente*
normalement: *regarder des spectacles de ballet sur Internet*
hier: *au théâtre*
l'été prochain: *à l'Opéra de Paris*

Lis le tchat. Pour chaque image, écris Samir, Lara ou Théo.

Samir	J'habite dans une vieille maison à la campagne. Chez moi, il y a trois chambres, une salle de bains, un grand salon, une jolie cuisine et une salle à manger. Il y a aussi un grand jardin derrière la maison. C'est comment, chez toi?
Lara	Mon appartement est plus petit que ta maison, Samir! C'est un bel appartement, super moderne, dans une grande rue, en ville. Il y a cinq pièces, mais il n'y a pas de salle à manger, donc on mange dans la cuisine.
Théo	Moi aussi, j'habite en ville. On n'a pas de jardin, mais à côté de la maison il y a un parc où je joue au foot. Ma chambre est plus petite que la chambre de mon frère (ce n'est pas juste ☹ !), mais c'est en face de la salle de bains, alors le matin, je me douche en premier!

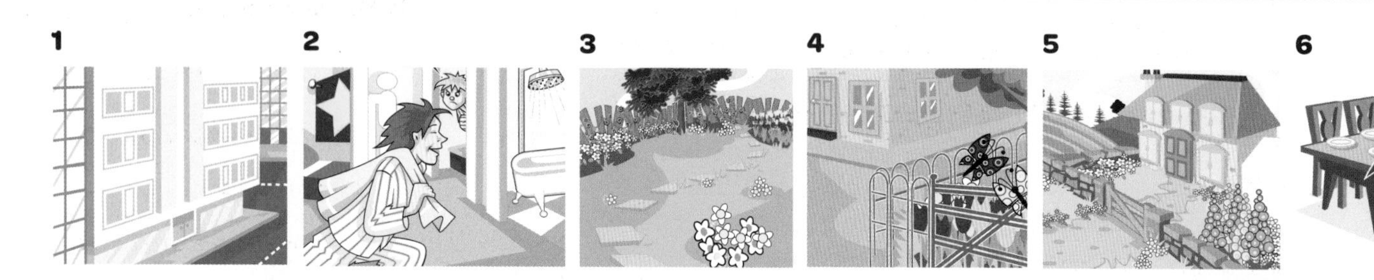

Lis le texte et complète les phrases en anglais.

D'habitude, pour le petit déjeuner, je mange du pain avec de la confiture de fraises et je bois un grand bol de chocolat chaud. Mais aujourd'hui, j'ai bu du jus d'orange parce que j'étais en retard pour aller au collège. Tous les soirs à huit heures, on mange en famille. Normalement, d'abord, on prend de la soupe et ensuite, on mange de la viande ou du poisson avec des légumes. Par exemple, hier soir, on a mangé du poulet avec des haricots verts. Comme dessert, normalement, je prends un yaourt, mais mon dessert préféré, c'est la mousse au chocolat. Souvent, le samedi soir, on achète des plats à emporter. Samedi dernier, on a mangé des plats chinois. C'était délicieux!

Manon

en retard *late*

1 For breakfast, Manon usually eats ...
2 Today, for breakfast, she drank ...
3 She and her family have their evening meal at ...
4 As a starter, they usually have ...
5 Yesterday evening, their main course was ...
6 Manon's favourite dessert is ...
7 On Saturday evenings, they often ...
8 The food they had last Saturday was ...

3 **À toi! Tu réponds à un sondage.**

1 Tu habites en ville ou à la campagne?
2 C'est comment, chez toi?
3 Le dimanche, qu'est-ce que tu manges pour le petit déjeuner?
4 Qu'est-ce que tu as bu pour le petit déjeuner, aujourd'hui?
5 On mange à quelle heure le soir, chez toi?
6 Qu'est-ce que tu as mangé hier soir?
7 Quel est ton dessert préféré?
8 Normalement, qu'est-ce que tu manges le samedi soir?

To help you answer the questions, look for phrases from the texts in exercises 1 and 2 and adapt them if necessary. Try to write extended sentences – add as much detail as possible.

1 Lis l'e-mail et les phrases en anglais. Quelles sont les <u>deux</u> choses qui <u>ne</u> sont <u>pas</u> mentionnées?

Salut, Guillaume!

C'est génial! Tu viens à ma fête d'anniversaire, samedi soir! La fête va commencer à sept heures et demie et il faut partir à dix heures et demie parce que mes parents veulent se coucher à onze heures.

Je vais acheter des pizzas à emporter, mais il faut apporter deux ou trois grands paquets de chips ou une baguette pour faire des sandwichs, s'il te plaît. Il ne faut pas acheter de dessert parce que ma mère a fait un gros gâteau d'anniversaire au chocolat. Miam-miam!

Il faut aussi venir déguisé! L'année dernière, le thème de ma fête, c'était les superhéros. Mais cette année, c'est les films d'horreur. Mon frère Léo va porter un costume de loup-garou. (L'année dernière, il était déguisé en Wolverine parce qu'il adore les *X-Men*, alors son costume ne va pas beaucoup changer!) Et moi? Qu'est-ce que je vais porter? Alors là, c'est un secret! Tu vas voir samedi!

Normalement, pour ma fête, c'est mon cousin Jonathan qui fait le DJ. Il apporte toute sa collection de CD, donc on danse toute la soirée. Mais cette année, j'ai décidé qu'on va faire du karaoké. Après, on va organiser une compétition de bowling sur la Wii. Si tu finis premier, tu gagnes un DVD! Léo et moi, nous jouons tout le temps, donc je suis super forte!

À samedi!

Sasha

déguisé(e)	*in fancy dress*
un loup-garou	*a werewolf*
fort(e)	*very good (literally: strong)*

- What the theme of the party is
- When the party starts and finishes
- What birthday present to buy Sasha
- What drinks will be provided
- What to bring with you
- What food there will be
- What happened at last year's party
- What activities there will be

2 Relis l'e-mail, puis trouve la fin de chaque phrase.

1 Guillaume va venir ...
2 La fête va finir ...
3 Les parents de Sasha vont se coucher ...
4 Il faut apporter ...
5 La mère de Sasha a fait ...
6 Le thème de la fête, c'est ...
7 L'année dernière, Léo a porté ...
8 À la fête, on va ...

a les films d'horreur.
b chanter et jouer sur la Wii.
c à onze heures.
d un costume de *X-Men*.
e à la fête d'anniversaire de Sasha.
f quelque chose à manger.
g un gâteau d'anniversaire.
h à dix heures et demie.

3 Écris un e-mail à un copain/une copine au sujet de ta fête. Adapte le texte de l'exercice 1 et utilise les idées suivantes ou tes propres idées.

Exemple:

Salut, Natasha!
C'est fantastique! Tu vas venir à ma fête d'anniversaire, dimanche après-midi. La fête va commencer à ... et il faut partir à ...

Dimanche

Parents veulent sortir

Manger

Apporter

Thème: (l'année dernière) *Twilight* (cette année) la science-fiction

Sœur: (l'année dernière)

Doctor Who

(cette année)

Mon costume: ???

On parle des Oscars! Trouve la fin de chaque phrase et copie les phrases complètes.

Pour moi, le meilleur film,	actrice, c'est Keira Knightley.
À mon avis, le plus bel	c'est *Avatar*.
Je pense que la plus belle	le plus original, c'est *Là-haut*.
Je trouve que la comédie	passionnant, c'est *Robin des Bois*.
Pour moi, le film le plus	la plus drôle, c'est *Comme chiens et chats*.
Je pense que le dessin animé	acteur, c'est Johnny Depp.

Invente tes propres Oscars! Utilise l'exercice 1 comme modèle et écris un paragraphe.

Invent your own Oscars! Use exercise 1 as a model and write a paragraph.

> *Most superlative adjectives go after the noun (e.g.* ***le film le plus ennuyeux****), but* ***beau/bel/belle*** *and* ***meilleur*** *go in front of the noun (e.g.* ***le plus bel acteur, la meilleure actrice****). Remember to make adjectives agree with the noun!*

3 **Lis le texte, puis copie et complète les fiches d'inscription en français.**

Ma famille a beaucoup de talent! D'abord, il y a ma sœur Olivia qui a quatorze ans. Elle chante très bien, elle danse et elle joue aussi du saxophone. Elle est assez ambitieuse, mais elle n'est pas du tout arrogante. Un jour, elle veut être actrice ou chanteuse professionnelle. L'année dernière, elle a joué le rôle de Nancy dans le spectacle musical *Oliver!* de son collège. Puis il y a mon frère Yann. Il a seize ans et il joue de la guitare dans un groupe de rock. Ils ont déjà gagné un concours de jeunes talents et ils ont fait un concert dans notre ville. Yann est travailleur et très sûr de lui, mais il ne veut pas être musicien professionnel: il a décidé de devenir policier!

Prénom: *Olivia*
Âge: ...
Caractère: ...
Talent(s): ...
Expérience: ...
Ambition: ...

Prénom: *Yann*
Âge: ...
Caractère: ...
Talent(s): ...
Expérience: ...
Ambition: ...

Écris un paragraphe sur tes deux amis Charlotte et Fred.

Prénom: *Charlotte*
Âge: *13*
Caractère: *travailleuse, sûre d'elle*
Talent(s): *piano, violon*
Expérience: *l'année dernière: orchestre (collège) et concert (télé)*
Ambition: *professeur de musique*

Prénom: *Fred*
Âge: *15*
Caractère: *ambitieux, passionné de danse*
Talent(s): *chante, danse*
Expérience: *la semaine dernière: rôle de Danny dans Grease*
Ambition: *acteur ou danseur professionnel*

1 LIRE

Lis les textes et les commentaires des juges (1–6). Pour chaque commentaire, écris le prénom du bon candidat.

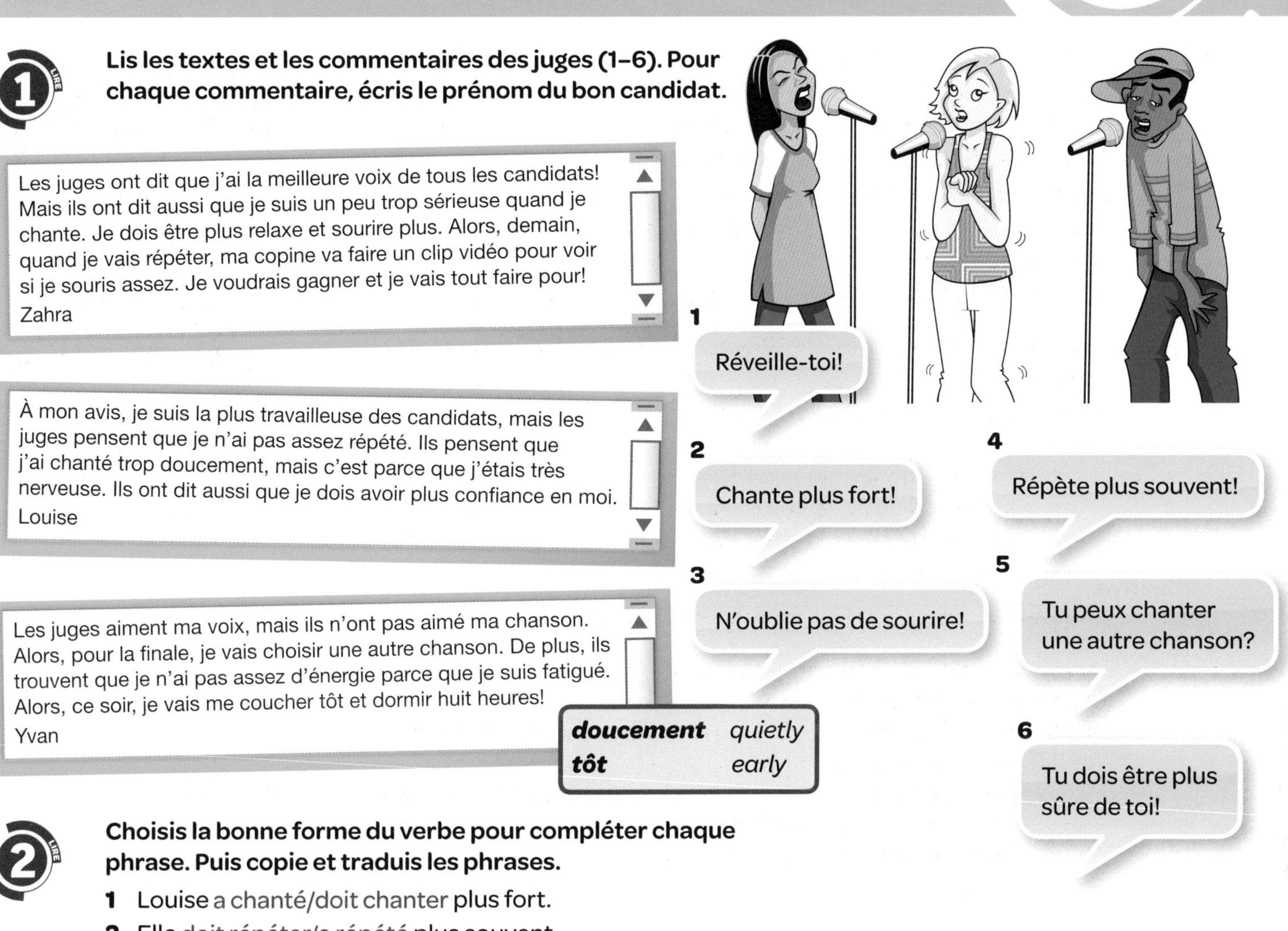

Les juges ont dit que j'ai la meilleure voix de tous les candidats! Mais ils ont dit aussi que je suis un peu trop sérieuse quand je chante. Je dois être plus relaxe et sourire plus. Alors, demain, quand je vais répéter, ma copine va faire un clip vidéo pour voir si je souris assez. Je voudrais gagner et je vais tout faire pour!
Zahra

À mon avis, je suis la plus travailleuse des candidats, mais les juges pensent que je n'ai pas assez répété. Ils pensent que j'ai chanté trop doucement, mais c'est parce que j'étais très nerveuse. Ils ont dit aussi que je dois avoir plus confiance en moi.
Louise

Les juges aiment ma voix, mais ils n'ont pas aimé ma chanson. Alors, pour la finale, je vais choisir une autre chanson. De plus, ils trouvent que je n'ai pas assez d'énergie parce que je suis fatigué. Alors, ce soir, je vais me coucher tôt et dormir huit heures!
Yvan

doucement	*quietly*
tôt	*early*

2 LIRE

Choisis la bonne forme du verbe pour compléter chaque phrase. Puis copie et traduis les phrases.

1. Louise a chanté/doit chanter plus fort.
2. Elle doit répéter/a répété plus souvent.
3. Zahra doit sourire/ne doit pas sourire plus quand elle chante.
4. Sa copine a fait/va faire un clip vidéo de Zahra.
5. Hier, Yvan n'a pas choisi/va choisir une bonne chanson.
6. Il est fatigué, mais ce soir, il va dormir/a dormi huit heures.

3 ÉCRIRE

Imagine que tu es Dimitri ou Clémence. Utilise les notes du juge et écris un paragraphe. Utilise les textes de l'exercice 1 comme modèle.

Dimitri
Got talent. Sang well, but too serious. Must smile more. Liked voice, but didn't like the song. Choose a different song for final next week.

Clémence
Best voice and best dancer but a bit nervous. Be more confident. If want to win, must rehearse more often. Sing louder. Buy a new dress.

Use and adapt language from the texts in exercise 1. Explain what:

- *the judges said:* ***Les juges ont dit que .../ Selon les juges, ...***
- *they liked/didn't like:* ***Ils (n')ont (pas) aimé mon/ma/mes ...***
- *you must do:* ***Je dois ...***
- *you are going to do:* ***Le weekend prochain, .../Pour la finale, ...***

Verb tables

Regular –*er*, –*ir*, –*re* verbs

Infinitive	Present tense				Perfect tense
*regard**er*** to watch	*je* *tu* *il/elle/on*	*regard**e*** *regard**es*** *regard**e***	*nous* *vous* *ils/elles*	*regard**ons*** *regard**ez*** *regard**ent***	*j'* ***ai*** *regard**é***
*fin**ir*** to finish	*je* *tu* *il/elle/on*	*fin**is*** *fin**is*** *fin**it***	*nous* *vous* *ils/elles*	*fin**issons*** *fin**issez*** *fin**issent***	*j'* ***ai*** *fin**i***
*vend**re*** to sell	*je* *tu* *il/elle/on*	*vend**s*** *vend**s*** *vend*	*nous* *vous* *ils/elles*	*vend**ons*** *vend**ez*** *vend**ent***	*j'* ***ai*** *vend**u***

Present tense of reflexive verbs

Infinitive	Present tense						Perfect tense
se *douch**er*** to shower	*je* *tu* *il/elle/on*	***me*** ***te*** ***se***	*douch**e*** *douch**es*** *douch**e***	*nous* *vous* *ils/elles*	***nous*** ***vous*** ***se***	*douch**ons*** *douch**ez*** *douch**ent***	*je* ***me suis*** *douch**é(e)***

Key irregular verbs

Infinitive	Present tense				Perfect tense
aller to go	*je* *tu* *il/elle/on*	***vais*** ***vas*** ***va***	*nous* *vous* *ils/elles*	***allons*** ***allez*** ***vont***	*je* ***suis allé(e)***
avoir to have	*j'* *tu* *il/elle/on*	***ai*** ***as*** ***a***	*nous* *vous* *ils/elles*	***avons*** ***avez*** ***ont***	*j'* ***ai eu***
boire to drink	*je* *tu* *il/elle/on*	***bois*** ***bois*** ***boit***	*nous* *vous* *ils/elles*	***buvons*** ***buvez*** ***boivent***	*j'* ***ai bu***
être to be	*je* *tu* *il/elle/on*	***suis*** ***es*** ***est***	*nous* *vous* *ils/elles*	***sommes*** ***êtes*** ***sont***	*j'* ***ai été***
faire to do/make	*je* *tu* *il/elle/on*	***fais*** ***fais*** ***fait***	*nous* *vous* *ils/elles*	***faisons*** ***faites*** ***font***	*j'* ***ai fait***

More irregular verbs

Infinitive	Present tense				Perfect tense		
dire to say	*je* *tu* *il/elle/on*	***dis*** ***dis*** ***dit***	*nous* *vous* *ils/elles*	***disons*** ***dites*** ***disent***	*j'*	***ai***	***dit***
écrire to write	*j'* *tu* *il/elle/on*	***écris*** ***écris*** ***écrit***	*nous* *vous* *ils/elles*	***écrivons*** ***écrivez*** ***écrivent***	*j'*	***ai***	***écrit***
lire to read	*je* *tu* *il/elle/on*	***lis*** ***lis*** ***lit***	*nous* *vous* *ils/elles*	***lisons*** ***lisez*** ***lisent***	*j'*	***ai***	***lu***
partir to leave	*je* *tu* *il/elle/on*	***pars*** ***pars*** ***part***	*nous* *vous* *ils/elles*	***partons*** ***partez*** ***partent***	*je*	***suis***	***parti(e)***
prendre to take	*je* *tu* *il/elle/on*	***prends*** ***prends*** ***prend***	*nous* *vous* *ils/elles*	***prenons*** ***prenez*** ***prennent***	*j'*	***ai***	***pris***
sortir to go out	*je* *tu* *il/elle/on*	***sors*** ***sors*** ***sort***	*nous* *vous* *ils/elles*	***sortons*** ***sortez*** ***sortent***	*je*	***suis***	***sorti(e)***
venir to come	*je* *tu* *il/elle/on*	***viens*** ***viens*** ***vient***	*nous* *vous* *ils/elles*	***venons*** ***venez*** ***viennent***	*je*	***suis***	***venu(e)***
voir to see	*je* *tu* *il/elle/on*	***vois*** ***vois*** ***voit***	*nous* *vous* *ils/elles*	***voyons*** ***voyez*** ***voient***	*j'*	***ai***	***vu***

Present tense of modal verbs

Modal verbs are irregular, so you will need to learn them.

Infinitive	Present tense				Perfect tense		
devoir to have to/ 'must'	*je* *tu* *il/elle/on*	***dois*** ***dois*** ***doit***	*nous* *vous* *ils/elles*	***devons*** ***devez*** ***doivent***	*j'*	***ai***	***dû***
pouvoir to be able/ 'can'	*je* *tu* *il/elle/on*	***peux*** ***peux*** ***peut***	*nous* *vous* *ils/elles*	***pouvons*** ***pouvez*** ***peuvent***	*j'*	***ai***	***pu***
vouloir to want to	*je* *tu* *il/elle/on*	***veux*** ***veux*** ***veut***	*nous* *vous* *ils/elles*	***voulons*** ***voulez*** ***veulent***	*j'*	***ai***	***voulu***

The perfect tense with *être*

13 verbs – mainly verbs of movement – form their perfect tense with ***être***, not ***avoir***:

aller (to go), ***venir*** (to come), ***arriver*** (to arrive), ***partir*** (to leave), ***entrer*** (to enter), ***sortir*** (to go out), ***monter*** (to go up), ***descendre*** (to come down), ***naître*** (to be born), ***mourir*** (to die), ***rester*** (to stay), ***tomber*** (to fall), ***retourner*** (to return).

Stratégies

Stratégie 1

Look, say, cover, write, check

Use the five steps below to learn how to spell any word.

1 ***LOOK*** Look carefully at the word for at least 10 seconds.
2 ***SAY*** Say the word to yourself or out loud to practise pronunciation.
3 ***COVER*** Cover up the word when you feel you have learned it.
4 ***WRITE*** Write the word from memory.
5 ***CHECK*** Check your word against the original. Did you get it right? If not, what did you get wrong? Spend time learning that bit of the word. Go through the steps again until you get it right.

Stratégie 2

Cognates and not quite cognates!

A cognate is spelt the same in English as in French. Most of the time, they mean exactly the same too, for example:

pizza → pizza

In French, there are also lots of words that look similar to English words but are not identical. Often these words have exactly the same meaning as the English (but not always!).

How many of these words can you find on the *Vocabulaire* pages of *Studio 2 Rouge*? Here's one to get you started:

musique → music

You'll also find some words that are the same or similar to English words but have different meanings. These words are called *faux amis*, and you can find out more about them in the *Stratégie* on page 65.

So use your knowledge of English to help you work out the meanings of French words, but be careful. There are some that can trip you up.

Stratégie 3

Words that won't go away!

When you learn French, some words come up again and again. No matter what you're talking about, they're there all the time. These are 'high-frequency words'. Because they occur so often, they are extremely important. You need to know what they mean.

The *Vocabulaire* pages at the end of each module all contain a selection of high-frequency words, but there are lots more. Look through the words on the *Vocabulaire* pages and see how many more you can find. Write down what they mean in English. Here are a couple to start you off:

je *très*

Stratégie 4

Mnemonics

One way of remembering new words is to invent a mnemonic: a rhyme or saying that sticks easily in the mind. Here's an example for the word ***magasins***, but it's best to make up your own – you'll find them easier to remember/harder to forget.

My **A**unt **G**ets **A**lligator **S**hoes **I**n **N**ormal **S**hops

You can't learn every word like this – it would take ages! But it's a great way of learning those words that just don't seem to stick.

Stratégie 5

Letter and sound patterns

Just as in English, many French words contain the same letter patterns. Recognising these patterns will help you to spell and say more words correctly. You have practised some of these throughout *Studio*. One way of remembering them is to write lists of words with identical letter patterns. Add to them as you come across more. Here are some from *Studio 2 Rouge* to start you off:

amusant	travailleur	rentrer
barbant	meilleur	talent

Mini-dictionnaire

Using your Mini-dictionnaire

The French-English word lists on the following pages appear in three columns:

- The first column lists the French words in alphabetical order.
- The second column tells you what part of speech the word is (e.g. verb, noun, etc.) in abbreviated form.
- The third column gives the English translation of the word in the first column.

Here is a key to the abbreviations in the second column:

adj	adjective
adv	adverb
conj	conjunction
exclam	exclamation
n (pl)	plural noun
nf	feminine noun
nm	masculine noun
npr	proper noun
pp	past participle
prep	preposition
pron	pronoun
v	verb

The names for the parts of speech given here are those you are most likely to find in a normal dictionary.
In *Studio*, we use different terms for two of these parts of speech. These are:
conjunction = connective
adverb = intensifier

A

abandonner	*v*	*to give up*
d'abord	*adv*	*first (of all)*
accepter	*v*	*to accept*
d'accord	*adv*	*OK, agreed*
achats	*nm (pl)*	*shopping*
acheter	*v*	*to buy*
acteur / actrice	*nm / nf*	*actor / actress*
admirer	*v*	*to admire*
adorable	*adj*	*adorable*
affaires	*nf (pl)*	*things*
afin de	*prep*	*in order to*
âge	*nm*	*age*
agenda	*nm*	*diary*
agneau	*nm*	*lamb*
album	*nm*	*album*
aller	*v*	*to go*
alors	*adv*	*so, therefore*
alouette	*nf*	*skylark*
ambitieux(-euse)	*adj*	*ambitious*
ambition	*nf*	*ambition*
Amérique	*nf*	*America*
amour	*nm*	*love*
amusant(e)	*adj*	*fun*
s'amuser	*v*	*to have fun*
an	*nm*	*year*
ananas	*nm*	*pineapple*
anglais(e)	*adj*	*English*
Angleterre	*nf*	*England*
année	*nf*	*year*
annoncer	*v*	*to announce*
antenne	*nf*	*aerial*
antipathique	*adj*	*unpleasant*
appareil	*nm*	*piece of equipment*
appart(ement)	*nm*	*flat*
s'appeler	*v*	*to be called*
apporter	*v*	*to bring*
apprendre	*v*	*to learn*
après	*adv*	*after*
après-midi	*nm*	*afternoon*
arabe	*adj*	*Arabic*
argent	*nm*	*money*
arme	*nf*	*weapon*
armoire	*nf*	*wardrobe*
arriver	*v*	*to arrive*
arrogant(e)	*adj*	*arrogant*
arroser	*v*	*to water*
article	*nm*	*article*
artiste	*nm / nf*	*artist*
arts martiaux	*nm (pl)*	*martial arts*
Asie	*nf*	*Asia*
assez	*adv*	*quite; enough*

Mini-dictionnaire

assis(e)	adj	sitting, seated
associer	v	to associate
attendre	v	to wait
attentivement	adv	carefully
attitude	nf	attitude
audition	nf	audition
aujourd'hui	adv	today
aussi	adv	as well
auteur	nm	author
autour	adv	around
autre	adj	other
avant	adv	before
avant-hier	adv	the day before yesterday
avec	prep	with
avenue	nf	avenue
avion	nm	plane
avis	nm	opinion
avoir	v	to have

B

baguette	nf	baguette
balade	nf	trip, walk
balcon	nm	balcony
banane	nf	banana
bande	nf	gang
bande dessinée (BD)	nf	cartoon book
banlieue	nf	suburbs
barbant(e)	adj	boring
barbe	nf	beard
baskets	nf (pl)	trainers
bataille	nf	battle
bateau	nm	boat
bâtiment	nm	building
batterie	nf	drums
beau / belle	adj	good-looking, beautiful, fine
beaucoup (de)	adv	a lot (of)
Belgique	nf	Belgium
belle-mère	nf	stepmother
ben	exclam	well
béret	nm	beret
beurk!	exclam	yuck!
beurre	nm	butter
bibliothèque	nf	library
bien	adv	good, well
bière	nf	beer
bisou	nm	kiss
bizarre	adj	weird
blanc(he)	adj	white
blouson	nm	jacket
bœuf	nm	beef
boire	v	to drink
bois	nm	wood
bombe	nf	spray can
bottes	nf (pl)	boots
bouche	nf	mouth
boulangerie	nf	bakery
bourse	nf	grant
bout	nm	end, tip (e. g. of the tongue)
branché(e)	adj	trendy
Brésil	nm	Brazil
Bretagne	nf	Brittany
brioche	nf	sweet bun, brioche
brouillard	nm	fog
Bruxelles	npr	Brussels
bureau	nm	desk, office

C

cadeau	nm	present
café	nm	café; (black) coffee
cahier	nm	exercise book
caille	nf	quail
calèche	nf	elegant 19th-century carriage
camarade	nm / nf	school friend
caméra	nf	video camera
campagne	nf	country(side)
camping	nm	camping; campsite
canapé	nm	settee, sofa, couch
candidat / candidate	nm / nf	contestant, candidate

Mini-dictionnaire

capitale	*nf*	*capital*
capuche	*nf*	*hood*
car	*conj*	*because*
car	*nm*	*coach*
caractère	*nm*	*character*
caractériser	*v*	*to characterise*
carnaval	*nm*	*carnival*
carte	*nf*	*card; map*
carte d'identité	*nf*	*identity card*
carte postale	*nf*	*postcard*
cascade	*nf*	*waterfall*
case	*nf*	*hut*
casque	*nm*	*headphones*
casquette	*nf*	*cap*
casse-pieds	*adj*	*annoying*
cathédrale	*nf*	*cathedral*
à cause de	*conj*	*because of*
ceinture	*nf*	*belt*
célèbre	*adj*	*famous*
célébrité	*nf*	*celebrity*
centre commercial	*nm*	*shopping centre*
céréales	*nf (pl)*	*cereal*
chaîne	*nf*	*channel*
chaise	*nf*	*chair*
châle	*nm*	*shawl*
se chamailler	*v*	*to squabble*
chambre	*nf*	*bedroom*
champignon	*nm*	*mushroom*
chance	*nf*	*luck*
changer	*v*	*to change*
chanson	*nf*	*song*
chanter	*v*	*to sing*
chanteur / chanteuse	*nm / nf*	*singer*
chapeau	*nm*	*hat*
chaque	*adj*	*each*
char	*nm*	*float (in parade)*
chasse	*nf*	*hunting*
chaud(e)	*adj*	*hot*
chaussures	*nf (pl)*	*shoes*
chef	*nm*	*chef*
chemise	*nf*	*shirt*
cher(-ère)	*adj*	*expensive*
chercher	*v*	*to look for*
cheveux	*nm (pl)*	*hair*
chic	*adj*	*chic*
Chili	*nm*	*Chile*
chinois(e)	*adj*	*Chinese*
chocolat	*nm*	*chocolate*
chocolat chaud	*nm*	*hot chocolate*
choisir	*v*	*to choose*
choix	*nm*	*choice*
chorale	*nf*	*choir*
chorégraphie	*nf*	*choreography*
chose	*nf*	*thing*
choucroute	*nf*	*sauerkraut (cabbage-based dish)*
chouette	*adj*	*great, cool*
cidre	*nm*	*cider*
cigogne	*nf*	*stork*
circulation	*nf*	*traffic*
ciseaux	*nm (pl)*	*scissors*
classe	*nf*	*class*
classer	*v*	*to classify*
classique	*adj*	*classical*
climat	*nm*	*climate*
club	*nm*	*club*
cochon d'Inde	*nm*	*guinea pig*
coiffe	*nf*	*head-dress*
coiffeur	*nm*	*hairdresser*
collège	*nm*	*secondary school*
colonne	*nf*	*column*
combien	*adv*	*how much, how many*
comédie	*nf*	*comedy*
comique	*adj*	*comic, funny*
comme	*prep*	*as, like*
commencer	*v*	*to start*
commentaire	*nm*	*comment, message*
compétition	*nf*	*competition*
complètement	*adv*	*completely*
compléter	*v*	*to complete*
composé(e) de	*adj*	*made up of*

compter	v	to count
concours	nm	competition
confession	nf	confession
confiance	nf	confidence, trust
se confier à	v	to confide in
confiture	nf	jam
confortable	adj	comfortable
conifère	nm	conifer
connecté(e)	adj	connected
se connecter	v	to connect
conseil	nm	advice
content(e)	adj	happy
continuer	v	to continue
contraire	nm	opposite, contrary
contre	prep	against
conversation	nf	conversation
copain	nm	friend (boy), boyfriend
copier	v	to copy
copine	nf	friend (girl), girlfriend
coquille	nf	shell
corrida	nf	bullfight
à côté de	prep	next to
coton	nm	cotton (wool)
se coucher	v	to go to bed
coupable	adj	guilty
coupe	nf	cup
couper	v	to cut
courageux(-euse)	adj	brave
course	nf	racing
cousin / cousine	nm / nf	cousin
cravate	nf	tie
créer	v	to create
crème	nf	cream
crêpe	nf	pancake
crêperie	nf	pancake restaurant
crevette	nf	prawn
croire	v	to believe
croissant	nm	croissant
croix	nf	cross
crudités	nf (pl)	crudités
cruel(le)	adj	cruel
cuir	nm	leather
cuisine	nf	kitchen; cooking
culture	nf	culture
curieux(-euse)	adj	curious

D

daim	nm	suede
dans	prep	in
danser	v	to dance
danseur / danseuse	nm / nf	dancer
débrouillard(e)	adj	resourceful
début	nm	start, beginning
décontracté(e)	adj	relaxed, casual
découvrir	v	to discover
défaut	nm	fault
défilé	nm	parade, procession, catwalk show
définir	v	to define
déguisé(e)	adj	in fancy dress
se déguiser	v	to dress up
déjà	adv	already
délicieux(-euse)	adj	delicious
demain	adv	tomorrow
demander	v	to demand, to ask
déménager	v	to move house
demi	adj	half
demoiselle	nf	young lady
départ	nm	departure
dépendre (de)	v	to depend (on)
dernier(-ère)	adj	last, latest
derrière	prep	behind
descendre	v	to go down, to get out, to get off
désert	nm	desert
désertique	adj	desert
désherber	v	to weed
dessert	nm	dessert
dessin animé	nm	cartoon
dessiner	v	to draw, to design
dessous	nm	below
détail	nm	detail

détermination	nf	determination
déterminé(e)	adj	determined
détester	v	to hate
devant	prep	in front of
devenir	v	to become
deviner	v	to guess
devoir	v	to have to; to owe
devoirs	nm (pl)	homework
dévorer	v	to devour
dialogue	nm	dialogue
différent(e)	adj	different
difficile	adj	difficult
diffuser	v	to show (on TV)
dîner	v	to have dinner
dîner	nm	dinner
dire	v	to say, to tell
en direct	adv	live
discuter	v	to discuss
disponible	adj	available
se disputer	v	to argue
documentaire	nm	documentary
domicile	nm	home
dommage	nm	shame
donc	conj	so, therefore
donjon	nm	dungeon
donner	v	to give
dormir	v	to sleep
doucement	adv	quietly, softly
douche	nf	shower
se doucher	v	to have a shower
doux / douce	adj	quiet, soft
douzaine	nf	dozen
à droite de	prep	on the right of
drôle	adj	funny
dur(e)	adj	hard

E

eau	nf	water
échanger	v	to swap
écharpe	nf	scarf
échecs	nm (pl)	chess
s'éclater	v	to have fun
école	nf	school
écouter	v	to listen
écran	nm	screen
écrire	v	to write
effrayant(e)	adj	scary
église	nf	church
égoïste	adj	selfish
embarrassant(e)	adj	embarrassing
émission	nf	programme, show
émouvant(e)	adj	moving
énergie	nf	energy
engrais	nm	fertiliser
enlever	v	to take off, to remove
ennuyeux(-euse)	adj	boring
enregistrer	v	to record
ensemble	adv	together
ensuite	adv	then, next
entendre	v	to hear
s'entendre	v	to get on
enthousiaste	adj	enthusiastic
entre	prep	between
entrée	nf	entrance, admission; starter
environ	adv	about
envoyer	v	to send
s'envoyer	v	to send (to) each other
épouvante	nf	horror (story, film)
équatorial(e)	adj	equatorial
équipe	nf	team
équitation	nf	horse-riding
escargot	nm	snail
espagnol	nm	Spanish
essayer	v	to try
essentiel(le)	adj	essential
et	conj	and
étage	nm	floor, level
étape	nf	stage, level, step
États-Unis	nm (pl)	United States
été	nm	summer

éteindre	v	to switch off, to put out
être	v	to be
étude	nf	study, survey
étudier	v	to study
événement	nm	event
examen	nm	exam
exception	nf	exception
exemplaire	nm	copy
exister	v	to exist
expérience	nf	experience
expliquer	v	to explain
exposé	nm	talk, presentation
exposition	nf	exhibition
extérieur	nm	outside
extraterrestre	nm / nf	extra-terrestrial

F

fabriquer	v	to make, to build
fabuleux(-euse)	adj	wonderful, fantastic
en face de	prep	opposite
se fâcher	v	to get angry
facile	adj	easy
faim	nf	hunger
faire	v	to do; to make
fantastique	adj	fantasy, fantastic
farine	nf	flour
fascinant(e)	adj	fascinating
fatigué(e)	adj	tired
faux(-sse)	adj	false, fake, off-key
femme	nf	woman, lady
fenêtre	nf	window
fermé(e)	adj	closed
fertile	adj	fertile
fête	nf	festival, fair
feu d'artifice	nm	firework (display)
fiche d'inscription	nf	application form
fin	nf	end
finale	nf	final
finalement	adv	finally
finaliste	nm / nf	finalist
finir	v	to finish
fleur	nf	flower
fois	nf	time
forêt	nf	forest
formation	nf	course, training
formidable	adj	great
fort(e)	adj	loud; strong; very good
forteresse	nf	fortress
forum	nm	forum
fou / folle	adj	mad
fraise	nf	strawberry
francophone	adj	French-speaking
frigo	nm	fridge
frites	nf (pl)	chips
froid(e)	adj	cold
fromage	nm	cheese
futur	nm	future

G

gadget	nm	gadget
gagner	v	to win
galette	nf	(savoury) pancake
gare	nf	train station
gâteau	nm	cake
à gauche de	prep	on the left of
en général	adv	in general
Genève	npr	Geneva
génial(e)	adj	great
genre	nm	type, kind
gentil(le)	adj	nice
gilet	nm	cardigan, waistcoat
glacial(e)	adj	icy
goût	nm	taste
graine	nf	seed
grand(e)	adj	big
gratuit(e)	adj	free
grenouille	nf	frog
gris(e)	adj	grey
gros(se)	adj	fat, big
guerre	nf	war
guidé(e)	adj	guided
guitariste	nm / nf	guitar player

H

s'habiller	v	*to get dressed*
habiter	v	*to live*
d'habitude	adv	*usually*
haricot	nm	*bean*
heure	nf	*hour, o'clock, time*
heureux(-euse)	adj	*happy*
hier	adv	*yesterday*
histoire	nf	*history, story*
hiver	nm	*winter*
homme	nm	*man*
horaire	nm	*time, timetable*
horreur	nf	*horror*
humide	adj	*damp, wet*
hypercool	adj	*really cool*

I

ici	adv	*here*
idée	nf	*idea*
identique	adj	*identical*
idiot(e)	adj	*stupid*
idole	nm	*idol*
image	nf	*picture, image*
imaginaire	adj	*imaginary*
imaginer	v	*to imagine*
immeuble	nm	*block of flats*
impatience	nf	*impatience*
importance	nf	*importance*
important(e)	adj	*important*
indice	nm	*clue*
indien(ne)	adj	*Indian*
info(rmation)s	nf (pl)	*news, information*
informatique	nf	*ICT, computing*
injuste	adj	*unfair*
insister	v	*to insist*
instruction	nf	*instruction*
interdit(e)	adj	*forbidden*
intéressant(e)	adj	*interesting*
intérieur	nm	*inside*
internaute	nm	*internet user*
interpréter	v	*to perform, to play*
inventer	v	*to invent, to create*
inviter	v	*to invite*
Italie	nf	*Italy*
italien(ne)	adj	*Italian*

J

jaloux(-ouse)	adj	*jealous*
jamais	adv	*never*
jambon	nm	*ham*
jardin	nm	*garden*
jardin potager	nm	*vegetable garden*
jean slim	nm	*skinny jeans*
jeter	v	*to throw (away)*
jeu	nm	*game*
jeu télévisé	nm	*game show*
jeune	adj	*young*
joli(e)	adj	*pretty*
jongler	v	*to juggle*
jour	nm	*day*
jour férié	nm	*bank holiday*
joyeux(-euse)	adj	*happy*
juge	nm	*judge*
juger	v	*to judge*
jupe	nf	*skirt*
jus	nm	*juice*
jusqu'à	prep	*up to, until*
juste	adj	*fair; in tune*

K

kiosque	nm	*kiosk*

L

là	adv	*there*
là-bas	adv	*over there*
lac	nm	*lake*
lagune	nf	*lagoon*
laine	nf	*wool*
lait	nm	*milk*
lampe	nf	*lamp*
langue	nf	*language; tongue*
large	adj	*wide*
lavabo	nm	*washbasin*
laver	v	*to wash*
lecture	nf	*reading*

Mini-dictionnaire

légumes	*nm (pl)*	*vegetables*
Liban	*nm*	*Lebanon*
libérer	*v*	*to liberate*
en ligne	*nf*	*online*
lire	*v*	*to read*
lit	*nm*	*bed*
livre	*nm*	*book*
logique	*adj*	*logical*
loisir	*nm*	*leisure*
Londres	*npr*	*London*
long(ue)	*adj*	*long*
louer	*v*	*to hire*
loup-garou	*nm*	*werewolf*
lui	*pron*	*him*
lunettes	*nf (pl)*	*glasses*
lycée	*nm*	*college, sixth form*

M

machine à laver	*nf*	*washing machine*
madame	*nf*	*madam, Mrs*
magasin	*nm*	*shop*
magazine	*nm*	*magazine*
magicien / magicienne	*nm / nf*	*magician*
magie	*nf*	*magic*
maillot	*nm*	*shirt, top*
maintenant	*adv*	*now*
mais	*conj*	*but*
maison	*nf*	*house*
mal	*adv*	*bad*
malgache	*adj*	*Madagascan*
malheureusement	*adv*	*unfortunately*
manger	*v*	*to eat*
mangue	*nf*	*mango*
manteau	*nm*	*coat*
(se) maquiller	*v*	*to put on make-up*
marché	*nm*	*market*
mariage	*nm*	*wedding; marriage*
marrant(e)	*adj*	*funny, a laugh*
marron chocolat	*adj*	*chocolate brown*
matin	*nm*	*morning*
méchant(e)	*adj*	*nasty*
médecine	*nf*	*medecine*
Méditerranée	*nf*	*Mediterranean*
meilleur(e)	*adj*	*best*
mélodies	*nf (pl)*	*tunes*
même	*adj*	*same*
menteur / menteuse	*nm / nf*	*liar*
mer	*nf*	*sea*
merci	*exclam*	*thank you*
météo	*nf*	*weather, weather forecast*
métro	*nm*	*underground*
mettre	*v*	*to put (on)*
meubles	*nm (pl)*	*furniture*
midi	*nm*	*midday*
militaire	*adj*	*military*
mimer	*v*	*to mime*
minuscule	*adj*	*minuscule, tiny*
moche	*adj*	*ugly, awful*
mode	*nf*	*fashion*
moderne	*adj*	*modern*
modeste	*adj*	*modest*
moi	*pron*	*myself / me*
moins de	*adv*	*less than*
mois	*nm*	*month*
monarchie	*nf*	*monarchy*
monde	*nm*	*world*
monsieur	*nm*	*gentleman, sir, Mr*
monter	*v*	*to go up*
montrer	*v*	*to show*
mot	*nm*	*word*
motivé(e)	*adj*	*motivated*
moto	*nf*	*motorbike*
mouche	*nf*	*fly*
moulin	*nm*	*windmill*
mourir	*v*	*to die*
mousse	*nf*	*foam, mousse*
mousson	*nf*	*monsoon*
mouton	*nm*	*sheep, mutton*
moyen	*nm*	*means, way*
multicolore	*adj*	*multi-coloured*
musée	*nm*	*museum*
musical(e)	*adj*	*musical*

Mini-dictionnaire

musicien / musicienne	nm / nf	musician
mystérieux(-euse)	adj	mysterious

N

nager	v	to swim
natation	nf	swimming
national(e)	adj	national
neiger	v	to snow
nerveux(-euse)	adj	nervous
neuf(-ve)	adj	brand new
nez	nm	nose
niveau	nm	level
Noël	nm	Christmas
nom	nm	name
nombre	nm	number
normalement	adv	normally, generally
noter	v	to note
nourriture	nf	food
nouveau(-elle)	adj	new
nuit	nf	night
nul(le)	adj	rubbish
numéro	nm	number

O

obéir	v	to obey
objectif	nm	aim, objective
s'occuper de	v	to look after
océan	nm	ocean
œuf	nm	egg
oiseau	nm	bird
omelette	nf	omelette
opéra	nm	opera
optimiste	adj	optimistic
orchestre	nm	orchestra
ordi(nateur)	nm	computer
ordre	nm	order
ou	conj	or
où	adv	where
ouah!	exclam	wow!
oublier	v	to forget
ouvert(e)	adj	open
ouverture	nf	opening

P

pagaille	nf	mess
page perso	nf	homepage
pain	nm	bread
panoramique	adj	panoramic
pantalon	nm	trousers
paquet	nm	packet, parcel
paragraphe	nm	paragraph
parc d'attractions	nm	theme park
parce que	conj	because
pardon	exclam	sorry, excuse me
parent	nm	parent
paresseux(-euse)	adj	lazy
parfum	nm	flavour
parisien(ne)	adj	Parisian
parler	v	to talk, to speak
paroles	nf (pl)	words, lyrics
partager	v	to share
participer	v	to take part
partir	v	to leave
partout	adv	everywhere
pas du tout	adv	not at all
passé	nm	past
passer	v	to spend
se passer	v	to take place, to happen
passetemps	nm	pastime
passion	nf	passion, hobby
passionnant(e)	adj	exciting
passionné(e)	adj	passionate
pâtes	nf (pl)	pasta
patiemment	adv	patiently
patient(e)	adj	patient
patinage	nm	skating
patinoire	nf	skating rink
pays	nm	country
paysage	nm	landscape
paysan / paysanne	nm / nf	peasant, farmer
pêcheur	nm	fisherman
pendant	prep	during, for
pénible	adj	tiresome, annoying

Mini-dictionnaire

penser	v	to think
personnage	nm	character
personne	nf	person
petit(e)	adj	small
petit déj(euner)	nm	breakfast
peu (un peu de ...)	nm	(a little) bit
photo	nf	photo
phrase	nf	sentence
pièce	nf	room
pied	nm	foot
piscine	nf	swimming pool
place	nf	space, room
plage	nf	beach
plaine	nf	prairie
planète	nf	planet
plante	nf	plant
plat	nm	dish
plein(e)	adj	full
pleurer	v	to cry
pleuvoir	v	to rain
plus	adv	more
plus de	adv	more than
en plus	adv	in addition
plutôt	adv	rather
poisson	nm	fish
polaire	adj	polar
policier / policière	nm / nf	policeman / policewoman
policier(-ère)	adj	police
pomme	nf	apple
pomme de terre	nf	potato
porc	nm	pork
portable	nm	mobile phone
porte	nf	door
porter	v	to wear, to carry
poser	v	to put
poster	v	to post
poulet	nm	chicken
pourquoi	adv	why
pousse	nf	seedling
pousser	v	to grow
pouvoir	v	to be able to
pratique	adj	practical
pratiquer	v	to play, to do sport, to practise
précipitations	nf (pl)	precipitation
prédire	v	to predict
préféré(e)	adj	favourite
préférence	nf	preference
premier(-ère)	adj	first
prendre	v	to take
préparer	v	to prepare
se préparer	v	to get ready
présent	nm	present (tense)
présenter	v	to present
principal(e)	adj	main, principal
prisonnier / prisonnière	nm / nf	prisoner
prochain(e)	adj	next
profession	nf	profession
professionnel(le)	adj	professional
promenade	nf	walk
promettre	v	to promise
propre	adj	own; clean
provisions	nf (pl)	food shopping
publicité	nf	advert, publicity
puis	adv	then, next
pull(over)	nm	jumper
pyramide	nf	pyramid

Q

qualifications	nf (pl)	qualifications
qualité	nf	quality
quand	adv	when
quantité	nf	quantity
quel(le)	adj	what, which
quelquefois	adv	sometimes
question	nf	question
qui	pron	who
quitter	v	to leave
quoi	pron	what

R

ragoût	nm	stew
raison	nf	reason, right

rando(nnée)	*nf*	*hike, long walk*
ranger	*v*	*to tidy*
rapide	*adj*	*fast, quick*
rapidement	*adv*	*quickly*
rapport	*nm*	*relationship*
rarement	*adv*	*rarely*
rater	*v*	*to miss*
réaction	*nf*	*reaction*
réaliste	*adj*	*realistic*
réalité	*nf*	*reality*
recevoir	*v*	*to receive*
recherche	*nf*	*research*
rechercher	*v*	*to research*
récolter	*v*	*to harvest, to collect*
recommander	*v*	*to recommend*
se réconcilier	*v*	*to make up*
recouvrir	*v*	*to cover*
redemander	*v*	*to ask again*
réécrire	*v*	*to rewrite*
réfléchir	*v*	*to think*
refuser	*v*	*to refuse*
région	*nf*	*region*
relire	*v*	*to read again*
remplir	*v*	*to fill (in)*
rencontrer	*v*	*to meet*
rendre	*v*	*to give back; to make*
renseignements	*nm (pl)*	*details*
rentrer	*v*	*to go home*
répéter	*v*	*to rehearse, to repeat*
répondre	*v*	*to reply*
réponse	*nf*	*answer, reply*
reproduire	*v*	*to reproduce*
réserver	*v*	*to reserve*
résoudre	*v*	*to solve*
responsable	*adj*	*responsible*
rester	*v*	*to stay*
résultat	*nm*	*result*
résumé	*nm*	*summary*
se réveiller	*v*	*to wake up*
révolution	*nf*	*revolution*
ridicule	*adj*	*ridiculous*
rien	*pron*	*nothing*
rigoler	*v*	*to have a laugh*
rigolo(te)	*adj*	*funny*
rivière	*nf*	*river*
riz	*nm*	*rice*
roi	*nm*	*king*
rôle	*nm*	*role*
roman	*nm*	*novel*
routine	*nf*	*routine*
rue	*nf*	*street, road*

S

saison	*nf*	*season*
salade	*nf*	*salad*
salle à manger	*nf*	*dining room*
salle de bains	*nf*	*bathroom*
salon	*nm*	*living room*
salut!	*exclam*	*hi!*
santé	*nf*	*health*
sauce	*nf*	*sauce*
sauver	*v*	*to save*
savane	*nf*	*savanna*
scénario	*nm*	*plot*
scolaire	*adj*	*school*
sec / sèche	*adj*	*dry*
secret	*nm*	*secret*
segway	*nm*	*segway*
sélectionner	*v*	*to select*
selon	*prep*	*according to*
semaine	*nf*	*week*
série	*nf*	*series*
sérieusement	*adv*	*seriously*
sérieux(-euse)	*adj*	*serious*
serpent	*nm*	*snake*
servir à	*v*	*to be of use*
seul(e)	*adj*	*only, alone*
sévère	*adj*	*strict*
si	*conj*	*if*
si	*exclam*	*yes (when contradicting someone)*

similaire	*adj*	*similar*
sinon	*conj*	*if not*
site	*nm*	*website*
snobisme	*nm*	*snobbery*
sociable	*adj*	*sociable*
soie	*nf*	*silk*
soif	*nf*	*thirst*
soir	*nm*	*evening*
soirée	*nf*	*evening*
sol	*nm*	*ground, floor*
soleil	*nm*	*sun*
sorte	*nf*	*sort, type, kind*
sortir	*v*	*to go out, to get out*
souligner	*v*	*to underline*
soupe	*nf*	*soup*
sourire	*v*	*to smile*
sous	*prep*	*under*
soutien	*nm*	*support*
souvenir	*nm*	*souvenir*
souvent	*adv*	*often*
spectacle	*nm*	*show, performance*
sportif(-ve)	*adj*	*sporty*
stade	*nm*	*stadium*
statue	*nf*	*statue*
steak-frites	*nm*	*steak and chips*
stupide	*adj*	*stupid*
style	*nm*	*style, look*
succès	*nm*	*success*
sucré(e)	*adj*	*sweet*
suivant(e)	*adj*	*following*
suivre	*v*	*to follow*
sujet	*nm*	*subject*
superbe	*adj*	*superb*
superhéros	*nm*	*superhero*
supermarché	*nm*	*supermarket*
supporteur	*nm*	*supporter*
sur	*prep*	*on*
sûr(e)	*adj*	*confident, sure*
surface	*nf*	*surface*
surtout	*adv*	*especially*
surveiller	*v*	*to watch, to keep an eye on*
suspect	*nm*	*suspect*
sweat	*nm*	*sweatshirt*
sweat à capuche	*nm*	*hoodie*
symbole	*nm*	*symbol*
sympa(thique)	*adj*	*nice*
Syrie	*nf*	*Syria*

T

table	*nf*	*table*
tableau	*nm*	*painting, picture; table, grid*
tablette (de chocolat)	*nf*	*bar (of chocolate)*
tablier	*nm*	*apron*
talent	*nm*	*talent*
talentueux(-euse)	*adj*	*talented*
tard	*adv*	*late*
tarif	*nm*	*rate, price*
tartine	*nf*	*slice of bread and butter*
tchatter	*v*	*to chat*
télé satellite	*nf*	*satellite TV*
télécharger	*v*	*to download*
téléphoner	*v*	*to telephone*
télé-réalité	*nf*	*reality TV*
télé(vision)	*nf*	*TV*
température	*nf*	*temperature*
tempéré(e)	*adj*	*temperate*
temps	*nm*	*time; weather*
de temps en temps	*adv*	*from time to time*
terrasse	*nf*	*terrace*
Terre	*nf*	*Earth*
terre	*nf*	*earth, ground, soil*
tête	*nf*	*head*
texte	*nm*	*text*
thé	*nm*	*tea*
théâtre	*nm*	*theatre*
thème	*nm*	*theme, topic*
timide	*adj*	*shy*
toilettes	*nf (pl)*	*toilet(s)*
tomate	*nf*	*tomato*

Mini-dictionnaire

tort	*nm*	*wrong*
tôt	*adv*	*early*
toundra	*nf*	*tundra*
tour	*nf*	*tower*
tour	*nm*	*tour*
touriste	*nm / nf*	*tourist*
touristique	*adj*	*tourist, for tourists*
tournée	*nf*	*tour (for a show, a band)*
tous les jours	*adv*	*every day*
tous les soirs	*adv*	*every evening*
tout(e)	*adj*	*all, every*
tout le temps	*adv*	*all the time*
tradition	*nf*	*tradition*
traditionnel(le)	*adj*	*traditional*
traditionellement	*adv*	*traditionally*
tragique	*adj*	*tragic*
train	*nm*	*train*
tranche	*nf*	*slice*
tranquille	*adj*	*quiet*
travailleur(-euse)	*adj*	*hard-working*
très	*adv*	*very*
triste	*adj*	*sad*
trop	*adv*	*too*
tropical(e)	*adj*	*tropical*
trouver	*v*	*to find*
truc	*nm*	*thing*
Tunisie	*nf*	*Tunisia*
tunisien(ne)	*adj*	*Tunisian*
type	*nm*	*type*
typique	*adj*	*typical*

U

utiliser	*v*	*to use*

V

vacances	*nf (pl)*	*holidays*
varié(e)	*adj*	*varied*
vedette	*nf*	*(TV, film, music) star*
végétarien(ne)	*adj*	*vegetarian*
vélo	*nm*	*bicycle*
vendre	*v*	*to sell*
venir	*v*	*to come*
vent	*nm*	*wind*
ventriloque	*nm*	*ventriloquist*
verbe	*nm*	*verb*
vers	*prep*	*about*
vert kaki	*adj*	*khaki*
veste	*nf*	*jacket*
vêtements	*nm (pl)*	*clothes*
viande	*nf*	*meat*
victoire	*nf*	*victory*
vide	*adj*	*empty*
vie	*nf*	*life*
vieux / vieille	*adj*	*old*
village	*nm*	*village*
ville	*nf*	*town*
vin	*nm*	*wine*
violon	*nm*	*violin*
virtuel(le)	*adj*	*virtual*
visage	*nm*	*face*
visite	*nf*	*visit*
voici	*prep*	*here is*
voilà	*prep*	*there is*
voir	*v*	*to see*
voiture	*nf*	*car*
voix	*nf*	*voice*
volcan	*nm*	*volcano*
voler	*v*	*to steal*
vouloir	*v*	*to want*
voyage	*nm*	*journey, trip*
vrai(e)	*adj*	*real, true*
vraiment	*adv*	*really*
VTT	*nm*	*mountain biking*
vue	*nf*	*view*

Y

yaourt	*nm*	*yoghurt*
yeux	*nm (pl)*	*eyes*